LE PREMIER LIVRE DES MERVEILLES

Collection « Mythologies » dirigée par
Claude AZIZA

L'« Entracte » a été imaginé par
Annie COLLOGNAT
Marie-Ange LAMENDE

Nathaniel HAWTHORNE

Le Premier Livre des Merveilles

Traduit de l'anglais
par Pierre Leyris

Ce livre a été publié en 1979 aux éditions Bordas
dans la collection « Aux quatre coins du temps »

Loi n° 49-956 du 16 juillet 1949 sur les publications destinées
à la jeunesse : mars 1996.

ISBN 2-266-07010-X

AVANT-PROPOS DE PIERRE LEYRIS

Nathaniel Hawthorne est né[1] à Salem, Massachusetts, là même où, deux siècles plus tôt, nous dit-il, avait débarqué « ce grave aïeul barbu au noir manteau et au chapeau en pain de sucre, venu si anciennement avec sa Bible et son épée ». Terrible juge et dont le fils après lui « se rendit si fameux dans le martyre des sorcières qu'il est resté taché de leur sang... Je prends sur moi le fardeau de leur honte », ajoute gravement Hawthorne.

Comment s'étonner que dans *La Lettre Écarlate* et dans maint autre récit, ce descendant

1. En 1804. Il mourra à Plymouth, en Angleterre, en 1864 *(N.d.E.)*.

des implacables pionniers puritains nous décrive un monde noir où l'absence de pardon épaissit jusqu'aux ténèbres l'ombre du Mal ?

Aussi quelle surprise, au milieu de son œuvre, que les *Livres des Merveilles* ! On cheminait la crainte au cœur à travers une forêt hantée, et voici qu'on débouche dans une radieuse clairière. Quelle est donc cette lumière si neuve ? Celle que rayonne l'Amour triomphant.

La clef de l'énigme est bien simple. Si dans sa petite ferme rouge de la Nouvelle-Angleterre, Hawthorne se mit à écrire, en ce printemps de 1851, ces histoires dorées, c'était afin de conter des contes à ses enfants.

Les tirer de son propre sac eût été tirer du même coup, peut-être, d'inquiétants fantômes — bons pour l'ami Melville qui avait en tête, cette année-là, une spectrale baleine blanche, mais point du tout faits pour la petite Una ni Julian.

Cependant les plus belles histoires ne nous viennent-elles pas, anonymes, du fond des âges, et d'abord de la terre des dieux et des héros ? Il suffisait de leur enlever ce dont l'innocence eût été meurtrie.

Jamais la plume de Monsieur de l'Aubépine n'avait couru si vite sur les feuillets bleus. On les possède encore : ils n'ont pas de ratures.

Paris, le 15 novembre 1957.

PRÉFACE DE NATHANIEL HAWTHORNE

L'auteur considère depuis longtemps que bien des mythes classiques sont susceptibles de fournir la matière d'excellentes lectures pour les enfants. Dans le petit volume qu'il offre ici au public, il en a façonné une douzaine à cette fin. Une grande liberté de traitement était nécessaire à son propos ; mais quiconque essaiera de fondre ces légendes dans son creuset intellectuel pour les rendre malléables, constatera qu'elles sont merveilleusement indépendantes des contingences et des circonstances temporaires. Elles demeurent essentiellement pareilles, après des changements qui affecteraient l'identité de presque tout autre chose.

Aussi ne plaide-t-il pas coupable de sacrilège pour avoir parfois remodelé au gré de sa fantaisie des formes consacrées par quelque deux ou trois mille ans d'ancienneté. Nul temps déterminé ne peut revendiquer de droits d'auteur sur ces fables immortelles. Il semble qu'elles n'aient jamais été faites, et certainement, aussi longtemps qu'il y aura des hommes, elles ne sauraient périr ; mais du fait même de leur caractère indestructible, elles offrent de légitimes sujets à chaque époque, qui peut les revêtir de ses sentiments et de ses manières propres, comme aussi les imprégner de sa morale propre. Dans la présente version, peut-être ont-elles perdu beaucoup de leur apparence classique (en tout cas l'auteur ne s'est guère soucié de la leur conserver) pour prendre une allure gothique ou romantique.

En accomplissant cette plaisante tâche — car c'était en vérité une tâche bien faite pour la saison chaude, et l'une des plus agréables, sur le plan littéraire, qu'il eût jamais entreprises — l'auteur n'a pas toujours jugé nécessaire de rabaisser son sujet pour le mettre à la portée des enfants. Généralement, il a laissé le thème prendre son essor, chaque fois que celui-ci y tendait, et lorsqu'il avait lui-même assez d'élan pour le suivre sans effort. Les enfants ont un pouvoir incalculable de sentir n'importe quoi de profond ou d'élevé, dans le domaine de l'imagination ou de la sensibilité, pourvu que ce soit, également, chose simple. Il n'y a que l'artificiel et le complexe qui les déconcertent.

Lenox, le 15 juillet 1851.

I

LA TÊTE DE LA GORGONE

Il était une fois une princesse nommée Danaé. De méchantes gens*[1] l'enfermèrent dans une boîte, avec son fils Persée[2] qui était encore tout enfant. La boîte fut poussée dans la mer, et vent et vagues l'eurent bientôt emportée au large. Danaé et Persée, ainsi ballottés dans le noir, et sans vivres, crurent qu'ils allaient mourir. Mais vers la fin du jour, la boîte parvint tout près de l'île de Sériphos et se prit dans les filets d'un pêcheur qui délivra les malheureux.

* Toutes les notes sont de l'éditeur.

1. C'est sur l'ordre de son propre père Acrisios, roi d'Argos (il avait peur d'être détrôné par son petit-fils), que Danaé fut enfermée avec son fils dans un coffre, puis jetée à la mer.

2. Le père de Persée est Zeus (Jupiter), le roi des dieux.

Ce pêcheur était fort bon. Il recueillit les naufragés et leur donna asile pendant plus de dix ans. Persée devint un beau jeune homme plein de force et de courage et aussi habile à manier les armes qu'à lancer les filets. Car sa belle prestance l'avait fait remarquer par le roi Polydecte, qui lui fit enseigner au palais l'art de l'épée.

Mais ce Polydecte était d'un naturel chagrin et méfiant. Dès qu'il vit Persée se distinguer d'une manière extraordinaire et surpasser tous ses compagnons, il craignit que ce jeune homme si doué ne se mît en tête de le détrôner et il résolut de le perdre. Il le fit donc appeler et lui dit :

— Persée, te voilà devenu un garçon accompli, et, à ce qu'on dit, le plus fort de tout mon royaume. Il serait dommage de laisser chômer ton épée. En outre, je me permettrai de te rappeler que toi et ta mère avez quelques obligations aux habitants de cette île et à leur roi. Eh bien ! je te demanderai aujourd'hui de me rendre un petit service.

— Votre Majesté n'a qu'à commander, répondit Persée. Je serai trop heureux de risquer ma vie pour elle.

— Tu sais, reprit le roi, que je suis fiancé à la princesse Hippodamie. Je désire lui offrir un cadeau rare. Et, après avoir longtemps cherché, j'ai enfin trouvé un objet digne d'elle et de moi.

— Puis-je avoir l'honneur d'aider Votre Majesté à se procurer cet objet ? demanda vivement Persée.

— Précisément, dit Polydecte. Il s'agit de la tête de la Gorgone Méduse, avec sa chevelure de serpents.

Persée comprit que le roi voulait l'envoyer à la mort. Mais il répondit sans hésitation en le regardant dans les yeux :

— Je partirai demain matin.

Et, saluant le roi, il quitta le palais.

Il faut dire qu'il existait alors dans une autre île de la Grèce trois épouvantables monstres. C'étaient trois sœurs, sans doute échappées des enfers, car si elles avaient des visages de femme, leurs corps étaient d'un dragon[1]. Pardessus le marché, au lieu de cheveux, elles avaient sur la tête des centaines de serpents qui se tordaient en tous sens. Couvertes d'écailles, armées d'immenses dents, de langues fourchues et de griffes d'airain, elles étaient d'autant plus redoutables que, lorsqu'elles déployaient leurs ailes d'or, on en restait ébloui.

Mais ce n'était pas là ce qui, jusqu'alors, les avait rendues invincibles. Elles avaient une arme

1. Voir dans l'Entracte, p. VII.

plus terrible encore. Nul n'ignorait en effet qu'il suffisait de les regarder, fût-ce une seconde, pour être pétrifié ; oui, littéralement changé en une statue de pierre, par l'horreur et l'effroi sans doute.

Voilà donc les monstres que Persée s'était engagé à combattre. Et il ne faut pas s'étonner s'il était à présent un peu songeur. Il avait eu la charité de ne point dire à sa mère ce qu'il allait entreprendre. Après s'être armé de son glaive et de son bouclier, il avait traversé à gué le détroit qui séparait l'île de la terre ferme, et là, assis sur la grève, il méditait tristement.

— Persée, pourquoi es-tu si soucieux ? dit une voix.

Fort surpris, car il se croyait seul en ce lieu écarté, il leva la tête et vit devant lui un étranger au regard vif et rusé qui avait un manteau flottant, un drôle de chapeau orné de deux petites ailes et, à la main, un singulier bâton contourné[1]. Rien de plus souple ni de plus dégagé que son allure. Rien de plus gai ni de plus engageant que sa physionomie, malgré la pointe de malice qui brillait dans ses yeux.

Persée se sentit tout de suite en sympathie avec l'étranger et répondit :

1. Voir dans l'Entracte, p. III et p. XVI.

— Je rêve à une aventure que je veux tenter et qui n'est pas des plus faciles.

— Voyons cela, dit l'étranger. Il m'est arrivé de tirer d'embarras pas mal de jeunes gens qui s'étaient empêtrés dans des situations fort critiques. On me donne beaucoup de noms, mais celui que j'aime le mieux est Vif-Argent[1]. Allons, explique tes difficultés à ton ami Vif-Argent.

Persée lui exposa la requête du roi et ne lui cacha pas sa perplexité :

— Comment combattre ? conclut-il. Ou bien je ferme les yeux et je ne sais où frapper ; ou bien je les ouvre et je suis à l'instant changé en pierre.

— Tu ferais, il est vrai, une belle statue de marbre, répondit Vif-Argent en souriant, et ce serait là une façon commode de passer à la postérité. Mais il me semble qu'il vaut mieux être un jeune homme bien vivant pendant quelques années qu'un bloc de marbre inanimé qui résiste aux siècles.

— C'est tout à fait mon avis, s'écria Persée, et sans doute aussi celui de ma mère. Mais encore une fois, comment combattre les yeux fermés ?

1. Sur l'origine de ce nom, voir dans l'Entracte, p. XVI.

— Je crois pouvoir t'être utile, répondit Vif-Argent. Ma sœur aussi te viendra en aide. Si tu es aussi prudent que courageux et si tu suis ponctuellement nos conseils, je ne doute pas de ta victoire. Mais... commence par rendre ton bouclier assez poli et assez brillant pour que l'on s'y voie comme dans un miroir.

Persée ne fut pas peu surpris de cette recommandation, mais quelque chose lui disait que Vif-Argent en savait beaucoup plus long que lui, et il se mit à fourbir son bouclier sans élever la moindre objection.

— Parfait, dit Vif-Argent quand le bouclier fut aussi resplendissant que la pleine lune. Et, détachant de son côté un petit glaive recourbé, il en ceignit Persée en lui disant : Laisse là ton glaive incommode. Cette courte lame coupe le fer et le bronze aussi aisément qu'un rameau. Bien. Et maintenant, en route ! Il nous faut d'abord aller voir les trois vieilles femmes à cheveux gris[1] qui savent où se trouvent les Nymphes.

— Les trois vieilles femmes à cheveux gris ? Qui sont-elles, je vous prie ?

— De fort étranges vieilles dames, répondit Vif-Argent en riant. Figure-toi qu'elles n'ont

1. Ce sont les Grées, littéralement les « Vieilles » en grec (voir dans l'Entracte, p. XXXI).

qu'un œil et qu'une dent pour elles trois. Mais elles ne se montrent jamais qu'au crépuscule ou à la nuit tombée, et encore faut-il qu'il n'y ait pas clair de lune.

Persée trouva cela bien bizarre et se demanda pourquoi il importait de trouver trois vieilles femmes plutôt que de se mettre tout de suite en quête des Gorgones. Mais il ne souffla mot et suivit son guide.

Il s'aperçut que ce n'était pas chose facile, car Vif-Argent fendait l'air comme s'il volait. À vrai dire, il volait bel et bien, car on voyait s'agiter les ailes de son chapeau et aussi deux autres petites ailes que Persée n'avait pas remarquées tout d'abord, et qui ornaient ses sandales.

— Tiens, lui dit enfin Vif-Argent en lui tendant son étrange bâton contourné. Avec ceci, tu marcheras sans fatigue.

Et, en effet, le bâton semblait animé d'une vie singulière : dès que Persée l'eut en main, il en fut comme entraîné et se mit à courir ou à voler sans efforts au côté de son compagnon.

Celui-ci l'émerveilla par le récit de mille aventures dont il s'était tiré le mieux du monde grâce à son esprit inventif, et Persée commença à le regarder comme un personnage tout à fait extraordinaire. Puis, se rappelant que Vif-Argent avait fait mention d'une sœur, il l'interrogea à son sujet.

— C'est une personne grave et prudente qui ne sourit jamais, lui répondit le guide ailé, et qui n'ouvre la bouche que pour dire des paroles profondes. Comme tu le vois, son caractère est bien différent du mien. Elle connaît tous les arts et toutes les sciences et bien des gens l'appellent la Sagesse[1]. Mais voici l'heure et le lieu où nous pouvons rencontrer les trois femmes aux cheveux gris. Prends garde qu'elles ne t'aperçoivent avec cet œil unique qu'elles se passent tour à tour.

Ils étaient parvenus dans un endroit sauvage et broussailleux, d'un aspect fort désolé, du moins autant que Persée pouvait en juger, car il faisait déjà presque nuit.

— Les voici ! dit Vif-Argent à voix basse. Cache-toi là.

Persée regarda de tous ses yeux dans l'ombre et finit par distinguer trois vieilles femmes qui s'avançaient en boitillant vers le buisson où ils s'étaient blottis. Oui, trois vieilles femmes avec de longs cheveux gris. Et quand elles furent plus proches, il vit que deux d'entre elles avaient au milieu du front un trou vide, mais la troisième un œil grand ouvert qui étincelait comme un diamant. Cet œil tournait de droite et de gauche et semblait percer l'épaisseur des taillis.

1. Voir dans l'Entracte, p. III.

Bientôt nos deux compagnons entendirent la voix des vieilles :

— Sœur Infernale, disait l'une d'elles, il y a fort longtemps que vous avez l'œil. Passez-le-moi, s'il vous plaît.

— Encore un petit moment, Satanite, répondit Infernale. J'ai cru voir remuer derrière un buisson.

— Et quand cela serait ? reprit la première. Ne suis-je pas capable, aussi bien que vous, de reconnaître un danger ? Donnez-moi l'œil, vous dis-je.

— Non pas ! c'est à mon tour de voir, s'écria la troisième, et vous le savez aussi bien que moi.

La discussion s'envenima. Pour terminer la querelle, Satanite retira l'œil de son front et le présenta à ses sœurs.

— Allons, dit-elle, prenez-le. Après tout, je ne suis pas fâchée de me reposer un peu la vue dans le noir.

Et comme ses deux sœurs tâtonnaient en vain, elle reprit :

— Que vous êtes donc maladroites ! Peu importe que ce soit vous qui ayez l'œil, Satanite, ou vous, Branlante, mais ne restons pas toutes trois aveugles ! C'est on ne peut plus imprudent.

Ici, Vif-Argent chuchota quelque chose à l'oreille de Persée. Aussitôt celui-ci bondit, prit l'œil dans la main d'Infernale et dit :

— Mesdames, ne cherchez pas plus longtemps : c'est moi qui ai l'honneur de tenir votre superbe œil.

— Notre œil ! Notre œil ! Notre œil ! hurlèrent les trois sœurs. Qui donc êtes-vous ? Rendez-nous notre œil !

Elles semblaient horrifiées, et c'était bien naturel, de savoir leur unique œil aux mains d'un inconnu.

— Mesdames, répondit Persée en suivant les conseils que Vif-Argent lui avait donnés derrière le buisson, ne vous alarmez pas. Je ne suis point un méchant homme et je vous rendrai votre œil intact si vous m'apprenez où demeurent les Nymphes.

— Les Nymphes, grands dieux ! dit Satanite. Nous ne sommes que trois pauvres vieilles femmes. Que saurions-nous des Nymphes ?

— Les unes habitent dans les bois, les autres dans les rivières, voilà tout ce que je puis vous dire, et encore je ne fais que répéter ce qu'on m'a conté, dit Infernale.

— Jamais nous ne les avons rencontrées, dit Branlante. Je ne suis même pas sûre qu'il y en ait dans le pays.

Ce disant, elles sautaient de tous côtés en étendant les bras pour essayer de se saisir de Persée ; mais celui-ci prenait bien garde de rester hors de leur atteinte.

— Mes respectables dames, dit-il, répétant ce

que Vif-Argent lui soufflait, c'est dommage pour vous que vous ne vouliez pas me donner des indications plus précises, car je garderai votre œil tant que vous ne m'aurez pas appris où je peux trouver les Nymphes. J'entends : les Nymphes qui ont les sandales volantes, la besace magique et le casque qui rend invisible.

— Miséricorde ! Mais que voulez-vous dire ? s'écrièrent les trois vieilles. Qui a jamais ouï parler de sandales volantes ? Qu'est-ce que cette invention d'une besace enchantée ? Et comment un casque pourrait-il vous rendre invisible, à moins qu'il ne soit assez grand pour vous cacher tout entier ?

Elles feignaient si bien l'étonnement que Persée fut sur le point de les croire et de leur rendre leur œil en s'excusant de son impertinence, mais Vif-Argent lui chuchota :

— Ne sois pas dupe. Insiste, sans quoi tu ne pourras jamais trancher la tête de Méduse.

Persée resta donc inflexible. Et bien lui en prit, car les trois vieilles, voyant que le seul moyen de recouvrer leur œil était de révéler la retraite des Nymphes, finirent par lui donner à cet égard les explications les plus détaillées. Sur quoi, l'œil leur fut rendu, avec des excuses, et nos deux compagnons se remirent en route.

Du train où ils allaient, il ne leur fallut pas longtemps pour atteindre la clairière retirée où habitaient les Nymphes. Comme elles étaient différentes des trois vieilles ! Aussi jeunes que belles, aussi fraîches que rieuses, elles accueillirent de très bonne grâce Vif-Argent et son protégé. Sans faire aucune difficulté, elles apportèrent les objets précieux dont elles avaient la garde. D'abord un petit sac de daim orné de broderies bizarres et qui n'était autre que la besace magique ; puis une paire de sandales ailées pareilles à celles de Vif-Argent.

— Mets-les, dit celui-ci à Persée. Tu vas voir comme tu te sentiras léger.

Persée chaussa l'une des sandales ; mais pendant ce temps-là, voilà l'autre qui s'envole comme un oiseau ! Heureusement Vif-Argent, plus prompt que l'éclair, la rattrapa d'un bond et la rendit à Persée qui la noua à son pied en s'excusant de son étourderie. Les Nymphes riaient gentiment.

Dès qu'il eut chaussé les deux sandales, il se sentit presque trop léger pour marcher sur la terre. Au premier pas, il s'élança malgré lui dans les airs et il eut toutes les peines du monde à redescendre, car il n'avait pas l'habitude de manœuvrer avec des ailes. Mais après quelques essais, il se montra plus adroit.

— Très bien ! dit Vif-Argent. Le casque à présent.

Aussitôt les Nymphes apportèrent un casque brillant surmonté d'un panache de plumes noires et en coiffèrent le jeune homme. Mais à l'instant même, plus de Persée, plus de casque, plus rien ! Il était devenu invisible.

— Persée ! Où es-tu ! demanda Vif-Argent.

— Mais ici, devant vous, répondit une voix toute proche. Ne me voyez-vous pas ?

— C'est-à-dire que nous ne te soupçonnons pas, répondit Vif-Argent. Et les Gorgones ne te soupçonneront pas davantage. Tu es prêt à les affronter.

Il prit congé des Nymphes en les remerciant chaleureusement. Sur quoi son chapeau ouvrit ses ailes et l'enleva légèrement dans l'espace. Persée, toujours invisible, le suivit et ils se mirent à voler délicieusement, ainsi que deux oiseaux, sous le disque d'argent de la lune.

Comme la terre baignée de clarté était belle avec ses mers et ses îles, ses plaines cultivées coupées de fleuves, ses noires forêts et ses villes de marbre blanc ! Parfois ils s'enfonçaient dans la ouate humide d'un nuage et ne voyaient plus rien, mais bientôt ils débouchaient à nouveau dans le ciel pur d'été où éclataient des météores.

Il sembla soudain à Persée qu'on volait à sa droite bien qu'il ne vît rien, là, que la nuit.

— N'y a-t-il pas quelqu'un près de moi ? demanda-t-il à Vif-Argent. J'entends comme un frôlement d'étoffe dans la brise.

— C'est ma sœur, répondit Vif-Argent. Elle nous accompagne pour nous aider. Tu ne peux savoir combien elle est sage et pénétrante : elle te voit aussi clairement que si tu n'avais pas le casque d'invisibilité, tu peux en être sûr.

Ils planaient alors au-dessus d'une mer immense dont les vagues bouillonnaient contre les rocs des falaises ou venaient se briser, avec un rouleau d'écume, sur une longue grève de sable blanc. Et une voix mélodieuse, une voix de femme pleine de gravité et de douceur, retentit dans les airs non loin de Persée.

— Persée, dit la voix mystérieuse, voilà les Gorgones.

— Où donc ? s'écria-t-il. Je ne les vois pas.

— Sur le rivage de cette île. Si un caillou s'échappait de ta main, il tomberait parmi elles.

— Je savais bien que ma sœur serait la première à nous avertir ! s'écria Vif-Argent.

Et il piqua vers la grève.

Les trois Gorgones étaient couchées sur le sable, leurs ailes d'or nonchalamment étalées. Bercées par le grondement des vagues, elles dormaient d'un profond sommeil. Même les serpents qui couronnaient leur tête semblaient engourdis, bien que l'un ou l'autre d'entre eux déroulât de temps en temps ses anneaux.

La lune tombait sur les grands corps aux écailles métalliques, et l'on distinguait jusqu'aux griffes de bronze agrippées aux rochers. On eût dit de gigantesques scarabées grossis un million de fois sous la loupe. Heureusement elles dormaient la tête sous l'aile, car si seulement Persée avait aperçu leur visage, il serait tombé du ciel comme une masse, changé en bloc de pierre.

— Laquelle faut-il frapper ? demanda-t-il en tirant son glaive tout en volant. Laquelle des trois est Méduse ?

— De la prudence ! dit la voix mélodieuse. Méduse est celle qui s'agite dans son sommeil. Ne la regarde pas, elle va se retourner. Ou plutôt ne regarde que son reflet dans ton bouclier poli.

Persée comprit alors pourquoi Vif-Argent lui avait recommandé de fourbir son bouclier. Il y voyait nettement Méduse qui, troublée sans doute d'un mauvais rêve, s'agitait convulsivement en labourant le sable de ses griffes. Elle avait découvert son immense visage de femme empreint d'une sorte de beauté sauvage, les yeux clos parmi les serpents.

— Vite ! Vite ! murmura Vif-Argent à Persée. Fonds sur le monstre !

— Mais reste calme, dit la voix mélodieuse à l'oreille du héros. Ne quitte pas ton bouclier des yeux quand tu prendras ton élan pour frapper.

Persée descend avec précaution sans cesser de fixer l'image dans l'acier poli. À mesure qu'il s'approche de cette face hérissée de serpents, son horreur et son dégoût augmentent. Il lève enfin

.e bras... les serpents se redressent... les paupières de Méduse s'agitent... mais le glaive retombe et la tête de la Gorgone roule sur le sable.

— Bravo ! crie Vif-Argent. Et maintenant, la tête dans la besace !

À la grande surprise du vainqueur, la petite besace magique qu'il portait au cou s'élargit le plus naturellement du monde quand il en approcha le trophée sanglant. Tête et serpents, tout disparut dans le sac.

— Tu as accompli ta mission, dit la voix mélodieuse. À présent, envole-toi sans perdre un instant.

Persée s'élança dans les airs. Bientôt il entendit au-dessous de lui des rugissements effroyables : les deux autres Gorgones s'étaient éveillées et poussaient sur le cadavre de leur sœur des cris de lamentation et de colère.

Elles déployèrent leurs ailes d'or et se mirent à voler de tous côtés pour chercher le meurtrier. Mais en vain : Persée leur était invisible. Ah ! s'il les avait regardées, c'en eût été fait de lui, mais la voix mélodieuse lui conseilla à temps :

— Surtout, ne tourne pas la tête !

Quelques instants plus tard, il était hors d'atteinte dans les hauteurs du ciel, où les hurlements des Gorgones lui parvenaient encore, affaiblis.

Le voyage de retour ne fut pas sans aventures. Car Persée, qui s'amusait parfois à voler à faible hauteur, voyait se passer à terre toutes sortes de choses qui le décidaient de temps en temps à intervenir. C'est ainsi qu'il pourfendit un monstre marin au moment où celui-ci allait dévorer une belle jeune fille enchaînée à une falaise [1]. Il changea encore un énorme géant en une montagne de pierre en lui présentant la tête de la Gorgone qu'il avait tirée de son sac ; et, bien qu'on ne m'ait pas dit le nom de ce géant, je ne serais pas étonné que ce fût Atlas [2].

Toutefois, ces exploits se déroulèrent très rapidement, et en trois jours il eut regagné l'île de Sériphius. Sa première visite fut pour sa mère, mais elle n'était pas chez elle, et il se rendit tout droit au palais.

Le roi Polydecte fut bien étonné de le voir, car il le croyait dévoré par les Gorgones. Cachant son désappointement, il lui dit :

— Tu es déjà de retour ? J'espère que tu as accompli ta mission, sans quoi ce n'est pas la peine de reparaître devant moi.

1. Il s'agit d'Andromède, fille du roi d'Éthiopie, que Persée sauve et épouse.

2. C'est ce que racontent certaines légendes. Vous retrouverez le géant Atlas au chapitre IV.

— Oui, Sire, répondit calmement Persée, je vous rapporte la tête de la Gorgone.

— Vraiment, Persée ? Montre-la-moi, je te prie, dit le roi. Ce doit être un objet bien curieux.

— Je n'oserais, sire. C'est un spectacle trop hideux pour Votre Majesté.

— Tu te joues de moi ! dit le roi avec colère. La poltronnerie t'a empêché d'obéir à mon ordre. Ne crois pas te tirer d'affaire en présentant un sac fermé dans lequel tu auras glissé quelque tête d'âne.

Ici les conseillers du roi, qui étaient aussi de fort méchants hommes, se rapprochèrent de lui et lui parlèrent à voix basse.

— Vous avez raison ! s'écria-t-il. S'il s'est moqué de moi, il mérite la mort. Et s'adressant à Persée : Montre-nous la tête de Méduse, ou demain, à l'aube, tu seras tiré à quatre chevaux.

— Puisque vous le voulez, qu'il en soit ainsi ! dit Persée.

Et, tirant la tête du sac, il la présenta au roi et aux conseillers qui furent à l'instant changés en pierre.

Est-il besoin de vous dire qui monta sur le trône ?

II

LE TOUCHER D'OR

Il était une fois un homme très riche qu'on appelait Midas, et cet homme était roi. Il avait une petite fille dont je ne peux pas arriver à me rappeler le nom. Si vous le voulez bien, nous l'appellerons Marie d'Or.

Il faut dire que le roi Midas aimait l'or pardessus tout. S'il tenait tant à sa couronne, c'est qu'elle était faite de ce précieux métal. Il est vrai qu'il aimait presque autant la petite fille qui jouait si gentiment sur les marches de son trône ; mais il croyait, l'insensé ! qu'il ne pouvait rien faire de mieux pour elle que de lui laisser à sa mort quantité de pièces jaunes et brillantes.

Voyait-il un beau coucher de soleil ? Il aurait voulu saisir les nuages dorés pour les enfermer dans ses coffres. Et si la petite Marie courait à sa rencontre avec une touffe de boutons-d'or, il lui disait :

— Bah ! bah ! mon enfant, cela vaut-il la peine de cueillir des fleurs qui n'ont de l'or que la couleur ?

Jadis, cependant, dans sa jeunesse, le roi Midas avait aimé les fleurs et fait planter les plus beaux jardins qu'on pût voir. Mais, à présent, il ne se promenait plus guère parmi ses roses et laissait leur parfum se perdre dans l'air. Si pourtant il venait à passer près d'elles, il calculait quelle serait leur valeur au cas où ces milliers de pétales seraient changés en petites plaques d'or.

De même, lui qui avait tant aimé la musique, il n'aimait plus désormais que le son des piles d'écus. C'est pourquoi il passait le plus clair de ses journées dans un lugubre caveau de son palais, où il gardait son trésor. Après avoir fermé la porte à double tour, il prenait un sac plein de pièces d'or, une coupe d'or, un lingot d'or, un boisseau de poudre d'or, et il apportait tout cela dans le rayon de soleil qui tombait d'une étroite meurtrière. Alors il comptait ses écus, jouait à lancer et à rattraper son lingot, faisait ruisseler entre ses doigts la poussière étincelante et se mirait dans la coupe polie en se réjouissant de sa richesse. Il ne prenait pas garde que la coupe arrondie lui présentait une image déformée, ridicule, qui semblait lui rire au nez.

Midas, avec tout son or, n'était pas tout à fait heureux. Car plus il était riche, plus il souhaitait de l'être davantage encore. Rien n'aurait pu le satisfaire que de posséder tous les trésors du monde.

Un jour qu'il était dans son caveau, occupé comme d'habitude, il vit une ombre sur ses monceaux d'or. Il se retourna vivement et se trouva en présence d'un étranger ! Jugez de sa surprise, car il était bien sûr d'avoir fermé la porte. L'inconnu était un jeune homme de superbe prestance, au visage rayonnant, comme métallique, qui répandait un tel éclat que tous les recoins de la pièce, d'ordinaire si noirs, s'en trouvaient illuminés.

Midas devina que son visiteur était plus qu'un mortel. Il n'en fut pas autrement effrayé, car l'étranger avait un sourire plein de bienveillance. Il fut même soulagé de voir qu'il n'avait pas affaire à un vulgaire voleur.

L'inconnu promena son lumineux sourire sur tous les objets du caveau et, par là même, les éclaira brillamment. Puis, se tournant vers Midas :

— Tu es bien riche, lui dit-il. Il n'y a nulle part sur la terre autant d'or amoncelé entre quatre murs.

— Oui, répondit le roi avec une petite moue, j'ai assez bien réussi. Mais il m'a fallu travailler toute ma vie pour remplir ce caveau. Il faudrait vivre des milliers d'années pour devenir vraiment riche.

— Comment ! s'écria l'étranger. Tu n'es pas content ?

Midas secoua la tête.

— Qu'est-ce donc qui pourrait te satisfaire ? demanda le radieux visiteur. Je serais bien aise de le savoir.

Midas devint rêveur. Il contempla ses monceaux d'or, sa vaisselle d'or, ses sacs de poudre d'or comme pour leur demander conseil. Il ne disait rien. L'étranger attendait patiemment.

Tout à coup le roi redressa vivement la tête : il venait d'avoir une idée lumineuse.

— Ah ! ah ! dit l'étranger. Je vois que tu as trouvé. Dis-moi donc ce que tu désires.

— C'est un souhait très simple, répondit l'avare. Je suis fatigué d'avoir tant de peine à recueillir des richesses et je voudrais avoir le pouvoir de changer en or tout ce que je toucherais.

L'inconnu, qui n'avait pas cessé de sourire, se mit cette fois à rire franchement :

— Le toucher d'or, s'écria-t-il, le toucher d'or ! Bravo, roi Midas, c'est vraiment une idée admirable. Naturellement, tu es bien sûr que l'accomplissement de ce souhait fera ton bonheur ?

— Comment pourrait-il en être autrement ?

— Tu ne le regretteras jamais ?

— Je ne vois aucune raison de le regretter, mais toutes les raisons d'en être comblé de joie.

— Eh bien, que ton vœu soit exaucé ! Demain, au lever du soleil, tu auras le toucher d'or.

Là-dessus, l'étranger devint si resplendissant que le roi Midas n'en put supporter l'éclat. Il ferma involontairement les yeux. Quand il les rouvrit, son mystérieux visiteur avait disparu.

La nuit suivante, le roi Midas eut bien du mal à s'endormir. Il se retournait dans son lit en se demandant si l'extraordinaire inconnu qui avait le don de passer à travers les portes fermées et de répandre tant de lumière allait tenir sa promesse ou s'il s'était seulement moqué de lui. Il s'endormit enfin, rêvant de trésors, mais d'un sommeil agité, et se réveilla à la petite pointe de l'aube.

Aussitôt il étendit les bras hors du lit pour vérifier s'il avait bien le toucher d'or. Il palpa avidement une chaise, un rideau... Hélas ! la chaise restait de bois, le rideau d'étoffe. L'inconnu s'était joué de lui et ne lui avait procuré qu'une nuit de fièvre.

Comme le roi retombait sur son lit, furieux et désespéré, un rayon de soleil entra par la croisée et dora le plafond au-dessus de sa tête. Il lui sembla alors que les draps de son lit brillaient d'un éclat singulier. En les regardant de plus près, quel fut son bonheur de voir que la toile fine s'était transformée en or pur ! L'étranger avait dit vrai, mais, dans son impatience, Midas n'avait pas attendu que le soleil fût tout à fait levé.

Transporté de joie, il sauta à terre et se mit à toucher tout ce qui lui tombait sous la main. D'abord la colonne du lit, qui devint une magnifique colonne d'or cannelée ; puis le rideau de la fenêtre, qu'il écartait pour mieux y voir, et dont le gland devint un gros poids d'or massif. Il saisit un livre posé sur une table et, sur-le-champ, le livre parut superbement relié et doré sur tranche ; mais, lorsque le roi en tourna les pages du doigt, elles se transformèrent en minces feuilles d'or sur lesquelles on ne pouvait plus rien lire. Midas ne s'en soucia guère, car il ne songeait pas du tout à lire, et il se dépêcha de s'habiller, ravi de se voir dans la glace tout revêtu de drap d'or. Cela lui faisait bien des habits un peu lourds, mais ils restaient souples, et comme ils brillaient !

Le roi tira son mouchoir que la petite Marie d'Or avait ourlé pour lui, et il eut pour la première fois un geste de mécontentement à voir que le mouchoir, lui aussi, était d'or : car il aurait préféré garder intact ce cadeau de sa petite fille.

Mais, après tout, il n'y avait pas là de quoi fouetter un chat ! Midas prit ses lunettes et les mit sur son nez pour admirer ses habits de plus près. Malheureusement elles étaient en or elles aussi, et il n'y avait plus moyen de rien voir au travers.

Le roi fut décontenancé, mais après un instant de réflexion il se dit tout en jetant ses lunettes :

— Bah ! En somme, ce n'est pas une affaire. Le toucher d'or vaut bien quelques menus sacrifices. J'y vois encore assez clair comme cela pour les besoins courants de la vie, et je demanderai à Marie d'Or de me faire la lecture.

Il sortit de sa chambre, descendit l'escalier du palais et sourit de plaisir à remarquer que la rampe de marbre devenait d'or à mesure que sa main glissait sur elle. Il ouvrit la porte du jardin (dont le loquet, aussitôt, fut changé en or) et s'élança parmi les roses qui embaumaient la brise matinale. Courant de rosier en rosier, il se mit à toucher chaque fleur, chaque bouton, n'ayant de cesse que tous les arbustes fussent d'or. Puis, cet exercice violent et l'air vif du matin lui ayant ouvert l'appétit, il retourna au palais pour prendre son petit déjeuner.

Comme il entrait dans la salle à manger, il vit venir à lui Marie d'Or tout en pleurs. Il en fut fort étonné, car c'était la petite fille la plus joyeuse qu'on pût voir et, dans toute une année, elle ne versait pas assez de larmes pour remplir un dé à coudre.

— Qu'as-tu donc, ma petite Marie d'Or, demanda-t-il en lui caressant doucement la tête ? Comment peux-tu pleurer par une si belle matinée ?

Sans mot dire ni rabattre le tablier dont elle se cachait les yeux, Marie d'Or tendit à son père une des roses qu'il avait transformées.

— Est-ce donc cette belle rose qui te cause tant de peine ? dit-il avec surprise. T'aurait-elle piquée ?

— Ah ! mon cher père, répondit l'enfant, elle n'est plus belle du tout, cette rose ; voyez, elle est devenue toute jaune, toute gâtée. Ce matin je suis descendue au jardin pour vous faire un bouquet et... et, savez-vous ce qui est arrivé ? Un grand malheur ! En une nuit toutes les fleurs ont perdu leur couleur et leur parfum. Je ne sais où elles ont pris cette vilaine teinte jaune. Et sentez : elles n'ont plus la moindre odeur !

— Va, dit Midas, console-toi, ma chère petite. Il sera bien facile, si tu le veux, d'échanger une belle rose comme celle-ci, prête à durer cent ans, contre une fleur ordinaire qui ne dure guère plus d'un jour. Sèche tes larmes et assieds-toi. Tu vas laisser refroidir ton lait.

Il s'assit lui-même en face de sa fille, non sans s'émerveiller de voir que la cafetière et la tasse qu'il touchait prenaient aussitôt l'aspect de l'or.

« Il va falloir, pensa-t-il, que je fasse faire des armoires spéciales, dont je garderai la clef, pour y enfermer une vaisselle aussi précieuse. Je ne pourrai plus la laisser traîner à la cuisine. »

Tout en réfléchissant, il porta une cuillerée de café à ses lèvres et poussa un cri d'effroi : le liquide s'était figé et transformé en un petit lingot qui fit un cliquetis métallique quand le roi le remit dans sa tasse.

— Qu'avez-vous, mon père ? demanda Marie d'Or, dont les yeux étaient encore humides de larmes.

— Rien, rien, mon enfant, dit Midas. Ne prends pas garde à moi et croque tes rôties.

Il avisa une jolie truite dans un plat (le maître cuisinier savait que le roi n'aimait rien tant que les truites d'eau vive pour son petit déjeuner) et la mit sur son assiette. Mais, ce faisant, il en effleura la queue du bout du doigt... et ne vit plus devant lui qu'un poisson d'or.

Oh ! c'était une admirable œuvre d'art, qu'on aurait dite ciselée par le plus habile orfèvre du monde. Rien n'y manquait, ni les fines nageoires, ni les écailles délicates ouvragées à merveille. Un chef-d'œuvre, vraiment. Seulement on ne déjeune pas de chefs-d'œuvre et Midas, qui avait grand-faim, commença à être irrité et inquiet.

« Je me demande comment je vais faire, se dit-il, pour calmer mon appétit. »

Un petit gâteau, puis un œuf qu'il saisit nerveusement se transformèrent comme le poisson. Alors, piquant de sa fourchette une pomme de terre toute chaude, il essaya de l'introduire rapidement dans sa bouche et de l'avaler d'un trait avant qu'elle eût le temps de se changer en or. Mais ce n'était déjà plus une pomme de terre qu'il avait dans la bouche, c'était un lingot d'or qui lui brûlait la langue ! Midas bondit de sa chaise avec un cri de douleur et se mit à sauter dans la chambre.

Marie d'Or, effrayée, sauta elle aussi de sa chaise et se précipita vers lui :

— Mon père, mon cher père, qu'avez-vous ? lui demanda-t-elle d'une voix anxieuse. Vous êtes-vous brûlé ?

— Ah ! ma chère petite, répondit Midas en secouant tristement la tête, je ne sais vraiment ce que ton malheureux père va devenir. Avec tout cet or devant moi, je suis plus infortuné que le dernier des miséreux !

Marie d'Or entoura tendrement de ses bras les genoux de son père et lui, tout ému de son affection, se pencha vers elle et la baisa au front.

Hélas ! Qu'avait-il fait ? Dès l'instant que ses lèvres avaient effleuré le visage de Marie, celui-ci était devenu jaune et brillant ; jaunes aussi les larmes, maintenant congelées, qui, l'instant d'avant, roulaient sur ses joues ; jaunes et raides les beaux cheveux, naguère châtains, qui retombaient sur ses épaules. Et tout son corps s'était durci sous les lèvres du roi. Malheur, malheur ! Marie n'était plus qu'une statue d'or !

Une statue bien touchante. Son visage, qui était resté le même dans les moindres détails (jusqu'à la charmante fossette du menton), avait gardé son expression d'amour, de douleur et de pitié. Il y avait dans cette vue de quoi déchirer le cœur du roi, qui se tordait les mains de désespoir et gémissait à fendre l'âme en pensant qu'il avait malgré lui comme tué sa fille.

— Ah ! s'écria-t-il, avec quelle joie je donnerais toutes mes richesses pour ramener le rose de la vie sur les joues de mon enfant !

Comme il achevait cette phrase, il vit surgir devant lui le mystérieux étranger dont il avait, la veille, reçu le don fatal.

— Eh bien ! mon ami, dit l'inconnu, comment te trouves-tu du toucher d'or ?

Et il accompagna ces paroles d'un large sourire qui répandit une lueur jaunâtre sur la statue de la petite Marie.

— Je suis le plus malheureux des hommes, répondit le pauvre roi entre deux sanglots.

— Comment cela ? N'ai-je pas tenu ma promesse ? Ton souhait ne s'est-il pas accompli ?

— Que m'est tout l'or du monde si j'ai perdu mon enfant ? dit Midas en jetant des regards désespérés sur l'image inanimée de sa fille.

— Tiens, tiens ! On dirait que tu as fait une découverte depuis hier. Dis-moi, que préfères-tu ? Le toucher d'or ou une tasse d'eau fraîche ?

— Oh ! de l'eau, de l'eau, s'écria Midas. Mais jamais plus elle ne rafraîchira mon gosier desséché !

— Le toucher d'or, reprit l'étranger, ou un morceau de pain sec ?

— Oh ! le pain, le pain ! Une miette de pain vaut tout l'or de la terre.

— Le toucher d'or, ou la petite Marie pleine de chaleur et de vie, comme elle l'était tout à l'heure ?

— Oh ! ma fille, ma chère petite fille bien vivante, cria le malheureux roi en se tordant à nouveau les mains.

— Tu es décidément beaucoup plus sage que tu ne l'étais hier, dit l'étranger en regardant Midas avec gravité. Et je vois que ton cœur ne s'est pas entièrement changé en dur métal, comme on aurait pu le craindre. Voyons, renoncerais-tu sans regret au toucher d'or ?

— Il m'est odieux, odieux ! répondit Midas.

À cet instant, une mouche se posa sur son visage et tomba à terre, transformée elle aussi en un insecte d'or. Midas frissonna d'horreur.

— Eh bien ! dit le puissant inconnu, va te plonger dans la rivière qui coule au fond de ta roseraie. Mais n'oublie pas d'emporter un pot de terre : tu y puiseras de l'eau vive et tu en aspergeras tous les objets auxquels tu veux rendre leur premier aspect. Si tu le fais avec confiance, ils redeviendront ce qu'ils étaient avant d'avoir été transformés par ta cupidité.

Le roi se jeta à genoux. Quand il se releva, le radieux étranger s'était évanoui.

Sans tarder une minute, Midas prit un grand pot de terre (qui, naturellement, se changea aussitôt en or) et courut à la rivière. Sous ses pas, l'herbe, les buissons se mettaient aussitôt à jaunir comme si l'automne les eût touchés.

À peine arrivé sur la berge, il piqua une tête dans l'eau sans même prendre la précaution d'enlever ses vêtements ni ses chaussures.

— Quel délicieux bain ! s'écria-t-il entre deux plongées. Jamais eau ne m'a paru plus fraîche. Je me sens tout rajeuni.

Il grimpa sur la rive, trempa le pot d'or dans la rivière et, pour sa plus grande joie, le vit se changer de nouveau en bonne et brave argile. Alors il toucha une violette, tremblant encore de la voir devenir jaune et inodore ; mais non, la petite fleur garda sa nuance délicate et son parfum. Quel bonheur ! Il semblait même à Midas que son cœur devenait plus léger dans sa poitrine, oui vraiment, plus léger qu'il n'avait été depuis de longues années.

Il courut au palais, au grand étonnement de ses domestiques, éberlués de voir leur maître monter ainsi l'escalier quatre à quatre et tout ruisselant, une cruche de terre à la main ! Mais il se souciait bien de sa dignité ! Il ne fit qu'un bond jusqu'à la statue de Marie et versa une bonne moitié de l'eau de la cruche sur la tête de sa fille.

Ah ! quel plaisir de voir le rose revenir sur les chères petites joues ! Mais quand elle éternua tout à coup en sautant de côté pour échapper à la cascade qui tombait sur elle, l'heureux père se mit à rire et à pleurer de joie tout ensemble.

— Que faites-vous là ? s'écria-t-elle. Me voilà tout inondée ! Moi qui ai mis cette belle robe pour la première fois ce matin !

Car Marie n'avait aucun souvenir de ce qui lui était arrivé depuis qu'elle s'était jetée, pour le consoler, dans les bras du roi Midas. Et on l'eût bien étonnée si on lui eût raconté qu'elle avait été statue d'or.

Son père, d'ailleurs, se garda bien de lui avouer quelle sottise il avait faite. Il lui demanda seulement de l'accompagner au jardin, où il aspergea devant elle toutes les fleurs avec le reste de l'eau. Et plus d'un millier de roses reprirent ainsi leur belle couleur au grand ravissement de la petite Marie.

Le roi n'oublia aucun des objets qu'il avait métamorphosés et bientôt il ne resta plus trace de son ancienne folie. Si, pourtant ! Les cheveux de Marie, de bruns qu'ils avaient été, restèrent dorés, ce qui ne faisait que la rendre plus jolie encore.

III

LE PARADIS DES ENFANTS

Jadis, aux premiers temps du monde, vivait un petit garçon nommé Epiméthée[1]. On ne lui connaissait ni père ni mère, et, afin qu'il ne s'ennuyât pas tout seul, on lui envoya, pour jouer avec lui, une petite fille qui, elle non plus, n'avait ni père ni mère. Elle s'appelait Pandore et venait d'un pays lointain[2].

Dès qu'elle entra dans la cabane où habitait Epiméthée, elle s'étonna à la vue d'une grande boîte, et sa première question fut :

— Epiméthée, dis-moi, qu'y a-t-il dans cette boîte ?

1. Epiméthée est le frère insouciant de Prométhée qui a volé la foudre de Zeus (Jupiter) pour donner le feu aux hommes.
2. Voir Entracte, p. XVII.

— Oh ! Pandore, c'est un secret. Moi-même je n'en sais rien. Tout ce que je puis te dire, c'est qu'on l'a déposée ici pour la mettre en sûreté.

— Qui te l'a donnée ?

— Encore un secret.

— D'où vient-elle ?

— Toujours un secret.

Pandore fit la moue :

— Voilà bien des embarras pour cette vilaine boîte, dit-elle dépitée. Si c'est comme ça, que les dieux nous en délivrent !

— Ne te fâche pas et n'y pense plus. Allons jouer dehors.

En cet heureux temps, le monde ignorait ces affreux monstres ailés qu'on appelle les Soucis et les Peines : ils n'avaient pas encore paru sur la terre. On trouvait des déjeuners tout préparés sous les arbres ; les habits ne s'usaient guère ; d'ailleurs on ne se donnait jamais la peine de les raccommoder, car il y en avait de toutes les couleurs dans tous les coins et il suffisait de les y prendre. Dans le pays d'Epiméthée, point de papas ni de mamans : rien que des enfants qui passaient leur temps à jouer et à danser. Ils n'avaient aucune leçon à apprendre, aucun devoir à faire, et l'on entendait partout fuser des chants et des rires. Ils s'entendaient très bien, ces enfants : ne se disputant jamais, ne se mettant jamais les uns les autres en quarantaine, ne boudant jamais... Ah ! comme il faisait bon vivre alors !

Cependant Pandore ne cessait pas de se demander ce qu'il pouvait bien y avoir dans la boîte. Cela devenait comme un tourment, comme une légère ombre sur son bonheur. Et l'on eût dit que cette ombre prenait corps, car la cabane d'Epiméthée et de Pandore était un peu plus sombre que celle des autres enfants.

— D'où vient, d'où vient cette boîte, et qu'y a-t-il dedans ? répétait-elle comme un refrain.

— Toujours la même question ! s'écria enfin Epiméthée à bout de patience. Au lieu de rester plantée là devant cette boîte, tu ferais mieux de venir cueillir des figues avec moi : elles sont juste à point et délicieuses.

— Je me moque bien des figues !

— Aimerais-tu mieux jouer à colin-maillard avec les autres ?

— Les jeux m'ennuient. Je ne pense qu'à la boîte. Pourquoi ne veux-tu pas me dire ce qu'elle contient ?

— Mais pour la bonne raison que je n'en sais rien !

— Alors ouvre-la.

— L'ouvrir ! s'écria Epiméthée indigné. Mais on me l'a confiée en me faisant promettre de n'y pas toucher. Tu voudrais que je manque à ma parole !

— Dis-moi au moins comment elle est venue ici.

— Eh bien, un homme qui portait un curieux manteau et un drôle de petit chapeau avec des ailes l'a laissée devant la porte. Il avait l'air malicieux comme tout, et je me rappelle encore son rire narquois.

— Avait-il un bâton, par hasard ?

— Le plus étonnant qu'on puisse voir : une baguette autour de laquelle se tordaient deux serpents, si bien faits qu'on les aurait crus vivants.

— Je le connais, dit Pandore d'un air pensif. C'est lui qui m'a amenée ici, tout comme la boîte, et on le nomme Vif-Argent. Tu vois, la boîte est sûrement pour moi : elle doit contenir des habits, des jouets et des bonbons. Ouvrons-la vite.

— Tu as peut-être raison, dit Epiméthée, mais je ne soulèverai pas le couvercle avant que Vif-Argent me l'ait permis.

Et, pour bien montrer qu'il était inutile d'insister, il s'éloigna. C'était la première fois qu'il sortait sans demander à Pandore de le suivre.

— Il n'y a rien à faire de ce garçon ! s'écria Pandore. Il est vraiment trop craintif.

Et elle se perdit dans la contemplation de la boîte.

Celle-ci était un véritable meuble de trois pieds de long sur deux pieds et demi de haut, fait d'un bois précieux sillonné de veines délicates et si bien poli qu'on s'y voyait tout aussi clairement que dans un miroir. Les bords et les angles, par contre, en étaient ciselés, avec quelle habileté merveilleuse ! On y voyait comme une guirlande d'hommes, de femmes et de petits enfants, les plus jolis du monde, qui s'ébattaient parmi les fleurs et les feuillages.

Une ou deux fois, Pandore crut distinguer à travers la ramure une figure un peu moins belle que les autres, et qui semblait déparer l'ensemble. Mais lorsqu'elle s'approchait pour mieux la regarder, il n'en était plus de même ; la figure devenait toute charmante. « Sûrement, se disait Pandore, je me suis trompée. »

Au milieu du couvercle bien lisse et bien poli où se reflétait la lumière, une seule figure, couronnée de fleurs, souriait. C'est du moins ce qu'il avait semblé à Pandore quelques instants plus tôt, mais à présent les lèvres de la figure étaient redevenues sérieuses... Ah ! voici le sourire de nouveau... maintenant il s'efface. Et pourtant la figure est toujours immobile.

C'était assurément une malicieuse petite créature, et si elle avait pu parler, elle aurait dit à travers ses sourires fugitifs :

« De quoi as-tu peur, Pandore ? Ouvre la boîte, ouvre la boîte ! Quel mal y aurait-il à cela ? Tu ne vas pas t'en faire accroire par ce petit sot d'Epiméthée ? D'ailleurs les filles ont beaucoup plus d'esprit que les garçons. Ouvre la boîte, ouvre la boîte : si tu savais toutes les jolies choses qu'il y a dedans ! »

Il faut dire que la boîte était dépourvue de serrure ; donc, pas besoin de clef ; mais, avant de soulever le couvercle, il fallait surmonter un obstacle : celui d'une cordelette d'or qui faisait tout le tour, attachée par un nœud extraordinairement compliqué ; on ne voyait vraiment pas où il commençait ni où il finissait.

« Si je voulais défaire ce nœud, se dit Pandore à voix basse, comment m'y prendrais-je ? Commencerais-je par ici ou par là ? Il me semble qu'il faudrait d'abord desserrer cette boucle, puis faire glisser ainsi la cordelette... Oui, je crois que je saurais. Ce n'est pas que j'aie l'intention d'ouvrir la boîte, mais je voudrais venir à bout de ce nœud. Après cela, je le referai. Epiméthée lui-même n'aura rien à me reprocher. » Comme elle murmurait ces mots, ses doigts déjà, sans qu'elle s'en rendît bien compte, travaillaient. Elle avait découvert les deux bouts de la corde, qui n'était pas très serrée et qui se laissait aisément manier. Si emmêlée qu'elle fût — en une centaine de nœuds peut-être qui n'en formaient qu'un seul — il suffisait d'un peu d'adresse et de patience pour la dénouer toute.

À ce moment, Pandore crut entendre remuer dans la boîte. Elle appliqua son oreille contre le bois, retenant son souffle pour mieux écouter. N'était-ce pas un chuchotement étouffé que l'on percevait à travers la paroi ? À moins que ce ne fût tout simplement le bruit de son propre cœur qui, à présent, battait à tout rompre dans sa poitrine...

À force de tendre l'oreille, elle entendit aussi les cris de joie et les rires des enfants qui jouaient à colin-maillard non loin de là ; il lui sembla même reconnaître la voix d'Epiméthée. Et juste au même instant, un rayon de soleil entra dans la chambre comme pour l'inviter à s'élancer au-dehors et à rejoindre ses compagnons. Il tomba droit sur le couvercle, éclairant la figure couronnée de fleurs qui paraissait grimacer un étrange sourire.

« Comme elle a l'air moqueur et menaçant ! se dit Pandore. Serait-ce parce que je suis en train de mal faire ? J'ai bien envie de laisser là ce nœud et d'aller courir au soleil. »

Mais il était trop tard. Ses doigts, comme à son insu, avaient continué à dénouer la cordelette, qui tomba d'elle-même à terre, libérant entièrement le couvercle.

« Il faudrait que je refasse ce nœud, dit Pandore, mais comment donc était-il ? La cordelette revenait ainsi sur elle-même, puis ainsi... non ce n'est pas cela. Essayons de cette manière.

D'abord une boucle, ensuite une seconde boucle, ensuite... Ah ! je ne sais plus, jamais je ne retrouverai la façon de ce nœud, et Epiméthée s'apercevra sûrement que je l'ai dénoué. »

Elle réfléchissait, tandis que la petite figure du couvercle la regardait ironiquement ; elle réfléchissait, et tout à coup une vilaine petite pensée se glissa dans son cœur :

« Quand Epiméthée verra que j'ai dénoué la cordelette d'or, pour sûr il croira aussi que j'ai soulevé le couvercle pour regarder dans la boîte. Jamais je ne pourrai lui prouver le contraire. De toute manière je serai grondée. Alors... autant regarder. Après tout, qu'y a-t-il de mal à jeter un coup d'œil dans une espèce de coffre à vêtements ou à joujoux qui m'est probablement destiné ! »

Tandis que la curiosité lui soufflait ces choses, il lui sembla que les chuchotements reprenaient de plus belle dans la boîte, et même qu'ils disaient :

« Fais-nous sortir, fais-nous sortir, chère Pandore, fais-nous sortir ; chère Pandore, délivre-nous, nous serons gentils pour toi ; fais-nous sortir, fais-nous sortir ; nous sommes là dans le noir ; je t'en prie, je t'en prie, nous jouerons avec toi... » On aurait dit non pas une voix, mais mille petites voix prisonnières, suppliantes. « Qui donc cela peut-il être ? se demanda Pandore. Certainement des créatures vivantes. Décidément je n'y tiens plus : il faut que je soulève ce couvercle, ne serait-ce qu'une seconde. Je le refermerai tout de suite après. »

Mais revenons à Epiméthée.

Comme nous l'avons dit, c'était la première fois que, las des questions de Pandore, il l'avait laissée seule dans la cabane. Il s'en fut rejoindre ses camarades de jeu pour cueillir avec eux des raisins et des figues (il faut avouer que son péché mignon était de trop aimer les figues). Mais les fruits ne lui semblèrent pas aussi savoureux que d'habitude, et ses amis ne parvinrent pas à l'égayer. Pour la première fois de sa vie il était triste et inquiet et, la chose étant toute nouvelle pour lui, il n'y comprenait rien. Souvenez-vous qu'en ce temps-là personne au monde ne connaissait la peine. Il essaya bien de faire semblant d'être joyeux, mais il ne réussit pas du tout. Ses camarades n'y comprenaient rien. Lui qui était d'habitude le plus gai de tous, il ne riait pas, il ne soufflait mot, il avait l'air absent.

Bientôt il leur dit au revoir, se décidant à retourner auprès de Pandore. Comme elle était d'humeur chagrine, il s'entendrait sans doute mieux avec elle qu'avec des rieurs. En chemin il cueillit pour elle des lis, des roses et des fleurs d'oranger dont il tressa, tout en marchant, une couronne. Oh ! sans doute des doigts de petite fille l'auraient-ils mieux tressée, mais enfin ce n'était pas si mal que ça pour un garçon, d'autant plus qu'Epiméthée, à présent, pressait le pas, car de gros nuages noirs s'amoncelaient dans le ciel.

Sans doute se préparait-il un terrible orage. Jamais il n'avait fait si sombre, non, jamais depuis le commencement du monde il n'avait fait si sombre en plein jour. Quand Epiméthée eut atteint la cabane, il s'y glissa doucement, sans faire de bruit. Il espérait surprendre Pandore en s'avançant à pas de loup derrière elle et en lui posant soudain sur la tête la couronne de fleurs.

À vrai dire, il n'aurait pas eu besoin de prendre tant de précautions, car Pandore était bien trop occupée de la boîte pour prêter attention à sa venue. Elle avait la main sur le couvercle, et il était clair qu'elle se préparait à le soulever.

Epiméthée fut sur le point de jeter un cri et de courir à Pandore pour l'empêcher de faire ce geste fatal. Mais il se ravisa : ses lèvres entrouvertes se refermèrent, son bras tendu en avant retomba le long de son corps, et il resta immobile.

C'est que la curiosité de Pandore avait fini par le gagner. Lui aussi, maintenant, voulait savoir ce que pouvait bien contenir la mystérieuse boîte. Puisque Pandore avait dénoué la cordelette, et qu'elle allait soulever le couvercle, pourquoi ne pas la laisser faire ? Après tout, il n'y était pour rien et personne ne pourrait l'en blâmer.

Ce n'était pas là un très joli sentiment, car Epiméthée voulait en somme rejeter tout le fardeau de la faute sur Pandore : quant à lui, il se contenterait d'en profiter. Oh ! il ne se rendait pas compte qu'il faisait ce vilain calcul, et si quelqu'un s'était trouvé là pour le lui dire, il aurait eu honte de lui-même et il se serait hâté d'arrêter la main de Pandore ; mais, voyez-vous, il n'y avait personne pour lui faire comprendre cela. La curiosité de savoir enfin quelles étaient les belles choses qui se cachaient dans la boîte, et aussi le désir d'en avoir sa part, occupaient entièrement son cœur.

Entre les doigts de Pandore le couvercle lentement se soulevait. Bientôt la petite fille fut capable de jeter un coup d'œil dans la boîte.

À l'instant même retentit un épouvantable coup de tonnerre. L'orage avait éclaté. D'épais nuages couvrirent entièrement le soleil, et la cabane fut plongée dans l'obscurité. C'est à peine si Pandore distingua un essaim de petites créatures ailées qui s'échappèrent de la boîte en venant battre son visage et qui se mirent à voler dans la pièce.

— Oh ! Oh ! cria tout à coup la voix d'Epiméthée avec un accent de douleur. Oh ! elles me piquent ! Elles me piquent ! Referme vite la boîte, Pandore !

Pandore lâcha le couverle, qui retomba ; trop tard, hélas !

Elle regarda autour d'elle, cherchant où se trouvait Epiméthée, mais la cabane était tellement assombrie qu'elle ne pouvait rien distinguer. Elle entendait, par contre, un bourdonnement incessant à droite, à gauche, tout autour de sa tête. On aurait dit qu'une foule de grosses mouches s'étaient réunies là avec une armée de guêpes, une escouade de moustiques, une compagnie de bourdons et un cent de frelons. Peu à peu ses yeux s'accoutumèrent à l'obscurité, et elle vit les petits êtres qui faisaient tout ce bruit. C'étaient d'horribles créatures mi-oiseaux, mi-insectes, avec des ailes de chauves-souris, une queue noire et pointue armée de longs dards, et l'air horriblement méchant. Tout à coup elle se sentit piquée au front par l'un de ces petits monstres. Elle essaya de le chasser, mais en vain : il revenait sans celle à elle, la piquant de plus en plus cruellement. La pauvre Pandore ne savait plus que faire et pensait s'évanouir de douleur, lorsque Epiméthée courut à elle et parvint à la délivrer de son bourreau.

Savez-vous quelles étaient ces dégoûtantes créatures ? Rien d'autre que tous les maux, encore inconnus de la terre, qui allaient maintenant harceler les hommes. La boîte ne contenait ni jouets, ni beaux habits, ni friandises, mais bien l'horrible famille des ennuis, toutes les variétés de peines, une foule de petites malices, trois cent treize sortes de chagrins et de soucis, cent soixante dix-neuf espèces de mauvaises passions et toutes les maladies imaginables.

Voilà ce qui avait été confié à la garde d'Epiméthée sans qu'il le sût. Voilà ce qui serait resté enfermé à jamais dans la boîte si les deux enfants étaient demeurés fidèles à leur mission : alors personne n'aurait eu à souffrir, pas une larme ne serait tombée en ce monde.

Mais peut-être pensez-vous qu'on aurait pu essayer du moins de retenir les vilaines bêtes dans la cabane ? Epiméthée et Pandore en auraient été quittes pour changer de maison. Sans doute, mais ils n'y songèrent pas, ne sachant d'ailleurs à qui ils avaient affaire. Leur premier soin fut au contraire d'ouvrir toutes grandes portes et fenêtres afin de se débarrasser au plus vite des petits monstres. Et ceux-ci en profitèrent aussitôt pour se répandre au-dehors : bien malin maintenant qui les ferait rentrer dans la boîte !

Ils s'éparpillèrent aussitôt par toutes les régions habitées, piquant, harcelant, tourmentant les enfants qui avaient été jusque-là si heureux. Et ceux-ci se mirent à grandir, à devenir des hommes pleins de soucis, puis des vieillards branlants tout proches de la tombe. Il en fut de même des animaux, il en fut de même des plantes. Et l'on connut pour la première fois des fleurs flétries, des arbres morts.

Cependant Pandore et Epiméthée étaient toujours dans la cabane. Plus rien ne volait autour d'eux, mais ils se ressentaient toujours de leurs cuisantes piqûres.

Avec cela, ils étaient d'humeur massacrante. Epiméthée alla s'asseoir dans un coin en tournant le dos à Pandore. Celle-ci était étendue sur le sol, la tête appuyée sur la fâcheuse boîte et, de temps en temps, un sanglot secouait ses épaules.

Soudain, elle entendit frapper un coup léger derrière le couvercle.

— Qu'est-ce que cela peut être ? s'écria-t-elle en relevant vivement la tête. Epiméthée !

Epiméthée ne répondit pas : il boudait.

Le bruit reprit avec plus d'insistance : on aurait dit qu'un menu doigt de fée tapait à l'intérieur de la boîte.

— Qui êtes-vous ! demanda Pandore, saisie à nouveau de curiosité.

— Soulevez le couvercle, répondit une petite voix harmonieuse, et vous verrez.

— Ah ! non, répondit Pandore. Pour qu'il sorte encore de la boîte une vilaine créature qui se mette à me piquer ! Il me suffit d'avoir vu vos frères et vos sœurs. Restez où vous êtes.

— Vous vous trompez, reprit la voix avec douceur. Je ne suis pas de ces vilains insectes qui ont une épine pour queue. Ouvrez-moi, gentille Pandore, je vous promets que vous n'aurez pas à le regretter.

La voix était si plaisante, si enchanteresse qu'il était difficile d'y résister. Comment croire qu'elle pût appartenir à une vilaine créature ? Elle avait une douceur consolante, et Pandore se sentait déjà à demi soulagée.

Epiméthée avait dû entendre, lui aussi, car il s'était retourné dans son coin et il semblait tendre l'oreille.

— Cher Epiméthée, lui demanda Pandore, as-tu entendu comme moi cette douce petite voix ?

— Oui, répondit-il d'un ton encore maussade. Et puis après ?

— C'est qu'elle me demande de lever le couvercle...

— Comme tu voudras. Après tout le mal que tu as causé, cela n'a guère d'importance : une peine de plus ou de moins ne rime pas à grand-chose.

— Oh ! ne sois pas méchant pour moi, dit Pandore en s'essuyant les yeux. J'ai été bien punie, je t'assure.

— Le méchant garçon ! cria la petite voix dans la boîte avec un rire moqueur. Au fond, il a bien envie de me voir, mais il ne veut pas le dire.

Epiméthée ne répondit pas, confus d'avoir été deviné.

— Allons, chère petite Pandore, reprit la voix, soulève le couvercle et rends-moi la liberté. Il me tarde de te consoler, de vous consoler tous les deux. Ouvre ma prison, laisse-moi respirer à l'air pur et je te montrerai que les choses ne sont pas aussi tristes que tu le crois.

Il y eut un silence, et puis Pandore s'écria tout à coup :

— Advienne que pourra ! Epiméthée, je suis décidée à ouvrir.

Mais le couvercle semblait cette fois plus lourd à manier : ses petites forces n'y suffisaient pas.

— Attends, lui dit Epiméthée, je vais t'aider.

Et, s'élançant de sa place, il saisit l'autre côté du couvercle. À eux deux, ils l'eurent bientôt soulevé.

Aussitôt une ravissante petite personne, vive et gracieuse comme une fée, s'échappa de la boîte entrebâillée et se mit à voleter dans la cabane.

Avez-vous jamais fait danser un rayon de soleil à l'aide d'un miroir ? C'est avec la même légèreté que la lumineuse créature bondissait çà et là, dissipant l'obscurité sur son passage. Bientôt il fit tout à fait clair dans la pièce.

La jolie étrangère ailée s'était posée un instant sur le doigt d'Epiméthée, puis avait effleuré d'un baiser le front de Pandore, et maintenant ils ne ressentaient plus ni l'un ni l'autre aucune douleur : leurs piqûres étaient guéries.

Ils regardaient avec émerveillement et reconnaissance la délicieuse petite apparition qui, debout sur le couvercle de la boîte, leur souriait de la meilleure grâce du monde.

— Quand je pense que vous étiez enfermée là-dedans avec les vilaines bêtes à queue pointue ! s'écria Epiméthée.

— Quand je pense que j'ai hésité à vous délivrer ! s'écria Pandore.

— Vous ne pouviez pas savoir que j'étais différente des autres habitants de la boîte, dit la petite fée avec indulgence en faisant miroiter ses ailes plus fines que celles d'une libellule.

— Vos ailes ont les couleurs de l'arc-en-ciel, dit Pandore. Comme elles sont belles !

— Si elles ressemblent à l'arc-en-ciel, répondit la fée, c'est qu'elles sont faites à peu près de la même matière : sinon de soleil brillant à travers la pluie, du moins de sourires brillant à travers les larmes.

— Voulez-vous rester avec nous ? demanda timidement Epiméthée.

— Oh ! oui, toujours, toujours ! s'écria Pandore.

— Je resterai avec plaisir près de vous aussi longtemps que vous aurez besoin de moi, répondit avec bonté la charmante créature. Oui, tant que vous vivrez sur cette terre, je serai à vos côtés. Il vous adviendra de croire que je me suis enfuie, mais alors, si vous me cherchez bien, vous verrez briller mes ailes irisées dans quelque coin de la cabane.

— Comment vous appelez-vous... madame ? demanda Epiméthée en hésitant un peu, car il ne savait pas s'il fallait dire : madame, ou mademoiselle.

— Je m'appelle l'Espérance, répondit la fée, et j'ai pour mission de consoler les hommes. C'est à cette fin que j'ai été enfermée dans la boîte avec ces horribles peines. Heureusement que vous m'avez délivrée, car je n'avais pas pu sortir en même temps qu'elles.

Elle adressa aux enfants son plus radieux sourire et reprit :

— Je sais une chose très belle et très bonne qui vous sera donnée un jour.

— Oh ! qu'est-ce donc ? Dites-le-nous ! s'écrièrent-ils.

L'Espérance posa son doigt sur ses lèvres de rose :

— Chut ! mes enfants, ne m'interrogez pas là-dessus : je ne puis pas vous répondre. Mais surtout ne désespérez jamais, non, jamais, quand bien même vous ne verriez pas cette chose très belle et très bonne tant que vous serez sur la terre. Fiez-vous à ma parole, car c'est la vérité.

Ses ailes se mirent à vibrer, et elle s'envola tout en disant :

— Au revoir. Ne vous attristez pas. Je vais seulement consoler d'autres enfants, mais je reviendrai près de vous.

Elle laissait la cabane tout illuminée.

IV

LES TROIS POMMES D'OR

Jadis tout le monde disait qu'il y avait quelque part un merveilleux jardin où poussaient des pommes d'or. On savait bien son nom : le jardin des Hespérides, mais on avait oublié où il pouvait se trouver. Et de temps en temps des jeunes gens aventureux partaient à sa recherche. Ou bien ils s'en revenaient déçus après avoir traversé en vain des terres et des mers, ou bien l'on n'entendait plus jamais parler d'eux.

Cependant un héros, qui s'en allait par l'Italie revêtu d'une peau de lion, armé d'un arc et portant en outre à la main une lourde massue, s'enquit à son tour du jardin. Mais il avait beau interroger tous ceux qu'il rencontrait, personne ne pouvait lui donner le moindre renseignement sérieux, sinon peut-être qu'il devait plutôt se trouver, ce jardin, du côté du couchant.

Or, comme le héros atteignait une rivière, et voyait sur sa rive un groupe de jeunes filles occupées à tresser des couronnes de fleurs, il leur posa la question qu'il posait à tout le monde. L'une des jeunes filles s'écria :

— Le jardin des Hespérides ? Tu es bien hardi pour un mortel ! Ne sais-tu pas qu'un dragon à cent têtes y monte la garde sous le pommier d'or ?

— Je le sais, dit le voyageur, mais j'en ai vu bien d'autres !

— Retourne sur tes pas, dit une autre jeune fille. Que t'importent des pommes d'or ? Le monstre ne ferait qu'une bouchée de toi.

Le jeune homme, d'un geste négligent, laissa tomber sa massue sur un rocher qui fut aussitôt réduit en poussière. Puis il demanda :

— Ne croyez-vous pas que ce coup aurait suffi à écraser une des têtes du dragon ?

Et, s'asseyant sur le gazon, il se mit à raconter sa vie[1]. Quand il était encore au berceau[2], deux immenses serpents s'étaient glissés tout

1. Voir Entracte, p. X.

2. Selon la légende la plus répandue, Hercule, fils d'Alcmène et du général thébain Amphitryon, avait alors huit mois. C'est Héra (Junon), l'épouse de Zeus (Jupiter), qui a tenté de supprimer le bébé ; elle poursuivra Hercule toute sa vie, par jalousie, car le véritable père du héros est Zeus, son mari.

près de lui pour le dévorer, mais il les avait saisis chacun dans une de ses petites mains et les avait étranglés net. À peine adolescent, il s'était battu avec un lion et lui avait fracassé le crâne. Un peu plus tard, il avait tué l'hydre de Lerne, un monstre affreux qui tenait du serpent et de la pieuvre et qui n'avait pas moins de neuf têtes, toutes armées de dents aiguës.

— Mais le dragon du jardin des Hespérides en a cent ! lui dit une des jeunes filles.

— Peu importe, répliqua le voyageur, il ne peut être plus redoutable que l'hydre, car elle, si vous lui coupiez une tête, il en repoussait deux à la place, et la tête continuait à sauter pour vous mordre. Je n'ai pu m'en débarrasser qu'en l'ensevelissant sous un énorme rocher et, aujourd'hui encore, je suis sûr qu'elle n'est pas morte, mais seulement prisonnière, et qu'elle continue à se tortiller.

Le jeune homme parlait avec beaucoup de simplicité, non pour se vanter, mais pour convaincre les jeunes filles. Il leur raconta encore qu'il avait couru toute une année durant derrière le cerf le plus agile du monde et qu'il l'avait enfin saisi vivant par les cornes. Une autre fois, comme une horde de centaures ravageaient un pays (c'étaient des créatures d'une race très ancienne, moitié hommes, moitié chevaux), il les avait exterminés de sa massue. Puis, il avait détourné le cours d'une rivière afin de nettoyer d'immenses écuries, terrassé un taureau sauvage, abattu à coups de flèches de monstrueux oiseaux, vaincu la reine guerrière des Amazones [1].

— Un des adversaires les plus bizarres auxquels j'aie jamais eu affaire, ajouta-t-il, fut sans doute Géryon. Figurez-vous qu'un jour, je vois sur le sable les traces de trois hommes énormes marchant côte à côte. Intrigué, je les suis et j'arrive devant un géant à six jambes ! Il s'est jeté sur moi, mais j'en ai eu bientôt raison.

— Quel est donc votre nom ? demandèrent les jeunes filles.

— Hercule, répondit-il avec modestie.

— Hercule ! Hercule ! s'écrièrent-elles d'une seule voix. Comme nous sommes contentes de te voir ! Voilà si longtemps que nous entendons parler de toi !

Et elles se mirent à danser une ronde autour de lui en chantant ses exploits.

Hercule était très reconnaissant, mais un peu confus. Comme elles s'arrêtaient pour reprendre haleine, il leur dit :

1. Pour tous ces « travaux », voir dans l'Entracte, pp. XI-XII. Pour déjouer les pièges d'Héra, Hercule a dû se mettre au service de son cousin Eurysthée, roi d'Argos et de Mycènes, qui lui impose les fameux douze travaux dans l'espoir de se débarrasser de lui.

— Je vous remercie beaucoup de votre amabilité, mais il faut que je parte.

— Déjà ! dirent-elles sur un ton de regret. Enfin, nous ne voulons pas te retenir. Vois-tu ce chemin ? Il te mènera au bord de la mer, et là, tu trouveras un vieillard.

— Serait-ce le Vieux de la Mer[1] ? demanda Hercule.

— Lui-même. C'est l'heure à laquelle il sort de l'eau pour s'asseoir sur la grève. Familier comme il est avec toutes les choses de la mer, il sait sûrement où se trouve le jardin des Hespérides, qui est dans une île.

Hercule partit en remerciant les jeunes filles. Il n'avait pas fait trois pas que l'une d'elles le rappela :

— Surtout, tiens le Vieux bien ferme ! cria-t-elle. Ne t'étonne de rien, mais tiens-le bien et il te dira tout ce que tu veux savoir.

Hercule remercia encore et s'éloigna à travers la forêt, abattant les arbres avec sa massue comme aurait fait la foudre. Il entendit bientôt le murmure de la mer et déboucha sur une petite plage déserte. Au pied d'une falaise dormait un vieillard.

Oui, un vieillard, mais combien étrange ! Car il avait les bras et les jambes couverts d'écailles

1. C'est le surnom de Nérée ; voir Entracte, p. XXXI.

de poisson, les mains et les pieds palmés comme les pattes d'un canard et une longue barbe verdâtre qui avait l'air d'une touffe d'algues. On voyait bien que c'était un habitant de l'océan : il ressemblait à ces débris de vaisseau couverts de mousse marine que les vagues rejettent parfois sur la plage.

Hercule s'approcha de lui sur la pointe des pieds, et, posant sa massue à terre, le saisit par une jambe et par un bras en criant :

— Vieux de la Mer, où est le jardin des Hespérides ?

Le vieillard se réveilla en sursaut et, dès qu'il eut aperçu Hercule, se mit à frétiller comme un poisson en essayant de se dégager. Mais le héros tenait bon. Tout à coup, que vit-il ? Ce n'étaient plus la jambe et le bras d'un vieillard qu'il avait dans les mains, mais le pied de derrière et le pied de devant d'un magnifique cerf. Sa surprise fut si grande qu'il faillit lâcher prise. Mais il se rappela à temps que les jeunes filles lui avaient recommandé de ne s'étonner de rien et il resserra au contraire son étreinte.

Cependant le cerf disparut : il y avait maintenant à sa place un immense oiseau de mer qui se débattait en poussant des cris déchirants. Hercule continua à serrer. Alors l'oiseau se transforma en un formidable chien à trois têtes qui se mit à gronder et à aboyer en essayant de déchirer de ses crocs les mains qui le retenaient prisonnier. Ne pouvant venir à bout d'Hercule, il fit place à un affreux serpent qui s'enroula autour de son adversaire en fouettant l'air de sa queue et en ouvrant une mâchoire épouvantable. Mais Hercule était toujours le plus fort. Il avait même fini par s'habituer à ces changements à vue et il serra le serpent de telle sorte que celui-ci se mit à siffler de douleur. Sans doute ne put-il supporter cette torture, car le héros vit enfin reparaître le Vieux de la Mer.

— Que me veux-tu donc ? dit celui-ci tout pantelant. Tu es bien impoli de me réveiller et de me serrer de la sorte !

— Pas de balivernes ! répliqua le vainqueur. Je suis Hercule et tu ne sortiras pas de mes mains avant de m'avoir indiqué le chemin du jardin des Hespérides.

Au nom d'Hercule, le vieillard comprit qu'il était inutile de s'obstiner :

— Prends par là, dit-il enfin en indiquant un sentier de sa main verdâtre et palmée. Tu rencontreras un géant qui soutient le ciel sur ses épaules. S'il est de bonne humeur, il te renseignera.

— Je saurai le mettre de l'humeur qu'il faut, dit Hercule en jouant avec sa massue.

Il s'excusa auprès du Vieux de la Mer de l'avoir quelque peu rudoyé et gravit le sentier qui le mena au haut de la falaise.

Il scruta de tous côtés l'horizon. Sur terre, rien de remarquable, pas trace de géant. Sur la mer, qui s'étendait à perte de vue, aucun géant non plus, mais un objet singulier qui n'avait pas la forme d'un bateau et qui étincelait de telle sorte au soleil qu'Hercule avait peine à en supporter l'éclat. Qu'était-ce donc ? On aurait dit une coupe d'or ou de cuivre... Oui, décidément c'était bien une coupe, et qui se rapprochait de lui. Une coupe dix fois grosse comme une roue de moulin et qui, bien qu'en métal, flottait sur les vagues aussi légèrement qu'une cupule de gland.

Elle vint effleurer le rivage tout près d'Hercule et celui-ci, comprenant qu'elle lui avait été envoyée pour l'emmener au jardin des Hespérides, sauta dedans du haut de la falaise. Puis il étendit au fond sa peau de lion, se coucha pour prendre un peu de repos, et, bercé par les vagues qui faisaient tinter les flancs de la coupe, s'endormit tranquillement.

Tout à coup il fut réveillé par un formidable tintement de cloche : c'était la coupe qui heurtait un rocher. Il avait dû dormir assez longtemps, car lorsqu'il regarda autour de lui, il ne vit plus trace de la côte qu'il avait quittée et constata qu'il venait d'aborder sur une île.

Cette île était dominée par une montagne extrêmement abrupte et dont la base ressemblait à des jambes humaines. Mais... c'étaient de vraies jambes ! De vraies jambes vivantes ! La montagne n'était pas du tout une montagne, c'était un immense géant ! Et quand je dis immense, c'est à bon droit, car les nuages lui faisaient une ceinture et se perdaient dans les poils de sa barbe. Il dressait en l'air ses deux mains et, chose incroyable, mais vraie, le ciel reposait sur elles.

Sa grande figure, dont les yeux étaient aussi vastes que des lacs et dont le nez et la bouche avaient chacun plus d'une lieue de longueur, sa grande figure, dis-je, était empreinte de fatigue et de tristesse. Il faut ajouter qu'il y avait bien de quoi, car le pauvre géant devait être là depuis des centaines et des centaines d'années à en juger par les arbres immenses qui avaient crû entre ses doigts de pieds.

Comme il abaissait ses regards des hauteurs, il aperçut Hercule. Et sa voix retentit comme un tonnerre :

— Qui es-tu, toi que je vois à mes pieds ? D'où viens-tu donc avec cette coupe ?

— Je suis Hercule, cria le héros aussi fort qu'il put, et je cherche le jardin des Hespérides !

— Ha, ha, ha ! Ho, ho, ho ! Voilà une aventure qu'il est sage de tenter ! dit le géant en éclatant de rire.

— Crois-tu donc que j'aie peur du dragon à cent têtes ? demanda Hercule piqué.

Le géant ouvrit les lèvres pour répondre, et sans doute répondit-il en effet, mais à cet instant un formidable orage éclata autour de sa ceinture et le fracas du tonnerre empêcha Hercule d'entendre ses paroles. Son corps et sa tête disparaissaient entièrement dans les nuages striés d'éclairs, seules ses deux jambes sortaient du brouillard.

Quand la tempête se fut apaisée, on vit de nouveau le ciel bleu et les bras qui le soutenaient. Les rayons du soleil tombaient sur les vastes épaules du géant, et sa tête se dressait tellement au-dessus des nuages que ses cheveux n'avaient pas reçu une goutte de pluie.

Il put enfin se faire entendre :

— Je suis Atlas, le plus grand géant du monde. C'est moi qui soutiens le ciel de ma tête et de mes bras.

— Je le vois bien, dit Hercule. Pas besoin de le crier si fort. Mais peux-tu me dire où se trouve le jardin des Hespérides ?

— Qu'y veux-tu faire ?

— J'y veux cueillir trois pommes d'or.

— Il n'y a que moi qui puisse entrer au jardin des Hespérides pour cueillir les pommes d'or. Si ce n'était que je dois supporter le ciel, j'irais volontiers là-bas en me promenant : cela me dégourdirait les jambes, et je te rapporterais les pommes.

— Tu es bien bon. Ne peux-tu déposer un instant ton fardeau sur une montagne ?

— La plus haute d'entre elles est encore juste un peu trop basse. Oh ! il ne s'en faut pas de beaucoup, et, quand j'y pense, il me semble que si tu montais dessus, ça pourrait faire l'affaire : ton front serait de niveau avec le mien, et tu m'as l'air d'un gaillard passablement robuste. Je te passerais le ciel le temps de ma promenade.

Pour la première fois de sa vie, Hercule hésita :

— Le ciel est-il très lourd ? demanda-t-il.

— Au début, ce n'est rien, répondit Atlas ; mais à la longue il commence à peser ; et au bout de mille ans on en a franchement assez.

— Et... combien de temps te faut-il pour aller chercher les pommes d'or ?

— Oh ! c'est l'affaire d'un instant : je fais des enjambées de trois ou quatre cents lieues. Tu n'auras pas le temps d'être fatigué.

— Bon, dit Hercule, j'accepte.

Et il se mit en route pour gravir la montagne.

Mais le géant n'aimait pas attendre : il saisit le héros dans sa main et le déposa doucement au sommet :

— Es-tu prêt ? demanda-t-il. Attention. Je fais glisser le ciel comme ceci sur ton épaule gauche, puis sur ta nuque... puis sur l'épaule droite... Voilà. Tu le tiens bien ?

— Oui.

Alors Atlas, tout content d'être libre, étira ses bras ; puis, arrachant l'un après l'autre ses pieds à la forêt qui avait poussé alentour, il se mit à gambader et à sauter de joie. À chacune de ses cabrioles, la terre tremblait.

Après s'être ainsi délassé, il s'avança dans la mer. Un pas de quatre lieues le mit dans l'eau jusqu'à mi-jambe. Deux autres pas, et la mer lui monta à la ceinture. Il se trouvait alors au plus profond de l'océan. Émergeant à demi, il continua sa route, et Hercule le vit bientôt disparaître à l'horizon telle une montagne vaporeuse et bleuâtre.

Malgré tout son courage, notre héros n'était pas sans inquiétude. Supposez que le géant se noie ; ou qu'il reçoive une morsure venimeuse du dragon aux cent têtes ? Le ciel, ce ciel d'azur qui nous semble si léger, commençait à peser sérieusement sur ses épaules. Avec cela, le temps changeait continuellement : tantôt le soleil brûlait, tantôt une pluie glacée lui ruisselait dans le dos ; il reçut même sur la nuque une dégelée de grêle.

Et puis, quelle responsabilité ! S'il ne tenait pas le ciel tout à fait comme il fallait, les astres pouvaient se détraquer, le soleil tout le premier : alors les constellations perdraient leur centre de gravité et tomberaient en pluie de feu sur la tête des hommes. Quel désastre, et quelle honte pour Hercule, si le ciel se mettait seulement à craquer et à se lézarder !

Aussi le héros fut-il bien content lorsqu'il vit enfin le géant s'avancer à sa rencontre à travers la mer. Dans la main tendue d'Atlas brillaient trois magnifiques pommes d'or, aussi grosses que des citrouilles.

— Comme je suis content de vous revoir ! s'écria Hercule. Et vous avez les pommes d'or !

— Oui, répondit Atlas, j'ai choisi les plus belles. Quelle agréable promenade ! Le jardin des Hespérides est vraiment enchanteur et le dragon vaut la peine d'être vu, je vous assure.

— Il vous a laissé passer ? demanda Hercule.

— Oh ! je l'ai écarté du pied, dit négligemment le géant. Mais quel dommage que vous ne puissiez aller là-bas !

— Ce sera pour une autre fois, dit Hercule. En vérité je vous dois mille remerciements. Seulement je n'ai pas beaucoup de temps devant moi, car je dois apporter les pommes aujourd'hui même à mon cousin le roi. Auriez-vous la bonté de reprendre le ciel sur vos épaules ?

— Quant à cela, dit Atlas, rien ne presse. Ce sera un plaisir pour moi que de porter les pommes à votre cousin... Mais faites donc attention ! ajouta-t-il avec un éclat de rire.

Car Hercule commençait à s'agiter, et le ciel tressautait bizarrement. Le soir tombait, et l'on put voir deux ou trois étoiles se détacher du ciel. Tous les hommes de la terre étaient dans l'anxiété : ils croyaient à une catastrophe universelle.

— En cinq siècles, reprit le géant, je n'ai pas laissé tomber autant d'étoiles que vous en une minute. Vous n'êtes guère patient. Mais quand vous serez resté là aussi longtemps que moi, vous aurez appris à vous tenir tranquille.

— Quoi ! rugit Hercule furieux. Vous n'allez pas me retenir ici jusqu'à la fin des siècles ?

— Nous en reparlerons un peu plus tard, dit Atlas. Peut-être pourrons-nous conclure un arrangement. Mais je ne veux pas faire attendre votre cousin. Au revoir !

Et le géant tourna les talons.

— Attendez ! cria Hercule. Attendez ! Ma peau de lion me gêne horriblement ; elle me tient beaucoup trop chaud. Laissez-moi seulement l'enlever, reprenez votre fardeau pendant trois secondes.

Or le géant était un brave homme, et, comme beaucoup de géants, un peu simple. Il jeta les pommes d'or à terre et reprit le ciel sur ses épaules.

Dès qu'Hercule fut libéré, il se baissa, ramassa les pommes et s'en alla tout tranquillement. Les hurlements du géant ne lui firent même pas tourner la tête.

Aujourd'hui encore Atlas est à la même place, et les forêts ont repoussé à ses pieds.

On dit qu'il a été changé en montagne, mais les jours de tempête on n'en entend pas moins ses cris dans le vent, car toujours il appelle, il appelle Hercule.

ENTRACTE

Poséidon, Hermès et Athéna sur un vase à figures noires, signé par le potier athénien Amasis (vers 540 avant J.-C.), musée du Louvre.

SUR LES AILES DE VIF-ARGENT

« Un étranger au regard vif et rusé qui porte un manteau flottant, un drôle de chapeau orné de deux petites ailes et, à la main, un singulier bâton contourné (chap. Ier, p. 14). » Voilà le mystérieux personnage que vous avez rencontré dans chaque histoire de ce Premier Livre des Merveilles *et que vous retrouverez encore dans* Le Second* *; tel un ange gardien, il accompagne les héros pour les guider dans leurs aventures, il vole généreusement au secours de l'un et conseille l'autre avec malice. Vous l'avez deviné, ce n'est autre que le dieu Hermès, le Mercure des Romains, baptisé Vif-Argent par notre auteur (voir p. XVI).*

Fils de Zeus, le maître de l'Olympe, Hermès est son messager favori auprès des divinités comme des simples mortels. Dès sa naissance, il se fait remarquer par son talent de rusé farceur**. Il est le dieu de l'éloquence, le protecteur des voyageurs, des commerçants, mais aussi des voleurs ! Aux Enfers, il est chargé d'escorter les âmes des morts.

« C'est une personne grave et prudente qui ne sourit jamais et qui n'ouvre la bouche que pour dire des paroles profondes. [...] Elle connaît tous les arts et toutes les sciences et bien des gens l'appellent la Sagesse (p. 18). » C'est ainsi que Vif-Argent présente sa sœur, la déesse Athéna, Minerve pour les Romains.

Fille chérie de Zeus, Athéna est la déesse de la guerre, mais aussi des arts et métiers comme de la sagesse en général. Sa naissance est particulièrement prodigieuse** ; toujours armée, elle protège les plus grands héros grecs et donne son nom à sa ville favorite, Athènes.

* *Le Second Livre des Merveilles* (même collection), chapitres IV et V.

** Pour le détail de leurs aventures, lire *Contes et légendes mythologiques*, parus dans la même collection (*Mercure*, chap. XVI, et *Minerve*, chap. IX).

LE JEU DES SEPT ERREURS

Voici reproduites les trois divinités du vase signé par le potier athénien Amasis (voir page II). Sept erreurs se sont glissées dans le dessin ; saurez-vous les repérer ?

L'ÉTOFFE DES HÉROS

Avez-vous rêvé de partager la vie de l'un de ces illustres héros dont vous venez de découvrir les aventures ? En voici trois : si vous voulez les accompagner, vous devrez tout d'abord les reconnaître grâce à leur « carte d'identité ».

1 NOM : ?
né à : Corinthe (Péloponnèse)
père : Poséidon, dieu de la mer
mère : Eurynomé, épouse du roi de Corinthe Glaucos
signes particuliers : beau jeune homme calme et déterminé, prêt à mourir s'il ne réussit pas la mission qu'il s'est fixée.

2 NOM : ?
né à : Thèbes (Béotie)
père : Zeus, maître de l'Olympe
mère : Alcmène, épouse du général thébain Amphitryon
signes particuliers : jeune homme très athlétique, toujours prêt à affronter les pires épreuves.

3 NOM : ?
né à : Argos (Argolide)
père : Zeus, maître de l'Olympe
mère : Danaé, fille du roi d'Argos Acrisios
signes particuliers : beau jeune homme intrépide, plein de force et de courage.

Vous n'avez pas trouvé ? Relisez donc leur histoire aux chapitres I, IV, et VI. Vous les avez reconnus ? Vous allez maintenant refaire avec eux le chemin semé d'embûches qui les a conduits à la gloire en redonnant à chacun ce qui lui revient dans les éléments du récit (attention ! des intrus se sont glissés dans chaque liste). Vous devrez donc fixer pour chacun :

1. *la mission à accomplir, c'est-à-dire le but que le héros doit atteindre ;*
2. *le personnage qui incite le héros à accomplir cette mission (l'instigateur) ;*
3. *les êtres qui interviennent directement pour aider le héros dans sa quête (les adjuvants) ;*

4. *les rencontres qui permettent de mettre le héros sur la bonne voie ;*
5. *les objets « fétiches » au pouvoir bénéfique, souvent même magique, dont le héros a besoin pour réaliser sa mission ;*
6. *les risques encourus par le héros (dangers et obstacles qu'il doit affronter pour réussir).*

1 LA MISSION

a - rapporter la Toison d'or
b - rapporter la tête de Méduse
c - rapporter les pommes d'or du jardin des Hespérides
d - tuer le Minotaure
e - tuer la Chimère

2 L'INSTIGATEUR

a - le roi de Lycie Iobatès
b - le roi d'Argos Eurysthée
c - le roi d'Athènes Egée
d - le roi d'Iolcos Pélias
e - le roi de Sériphos Polydecte

3 LES ADJUVANTS

a - Hermès
b - Médée
c - Pégase
d - Atlas
e - Ariane

4 LES RENCONTRES

a - Nérée
b - Circé
c - les Grées
d - un petit garçon aux cheveux bouclés
e - les Parques

5 LES OBJETS

a - une peau de lion, un arc, une massue
b - une besace, une paire de sandales ailées, un casque
c - une épée dans un fourreau rehaussé d'or et de pierres précieuses
d - une pelote de fil
e - une bride incrustée de pierres précieuses avec un mors en or

6 LES RISQUES

a - être transformé en pourceau
b - être brûlé vif par une gueule de serpent
c - être écrasé par des écueils mouvants
d - être pétrifié par la Gorgone
e - être dévoré par un dragon à cent têtes

Solution : pour trouver les bonnes réponses, avez-vous relu les chapitres I, IV et VI ? Découvrez les aventures d'autres héros dans le *Second Livre des Merveilles* (même collection).

LE CATALOGUE DES REDOUTÉS

Recevez vos monstres en kit à domicile en moins de 3 heures

*Vous cherchez une activité temporaire pour occuper vos loisirs et augmenter vos économies ? **Le Catalogue des Redoutés** vous propose de vous embaucher au service des expéditions pour trier les commandes et préparer les livraisons rapides.*

Voici trois bons de commande : ils ont été envoyés par des héros très pressés de recevoir les articles désignés ; sans eux, ils ne pourront accomplir leur mission (voir p. VI) — suite de la consigne en haut de la page suivante.

Merci de livrer cette commande : ☐ à mon adresse (voir ci-dessous) ☐ au relais **Redoutés** le plus proche	BON DE COMMANDE à renvoyer à GAIA et PONTOS 9999 Terre-sur-Mer Cedex	**LES REDOUTÉS** *Les Chouchous*

NOTEZ ICI VOTRE N° DE CLIENT ET VOTRE ADRESSE

N° de client : 1 0 2 0 3 6

Adresse : **Persée** c/o Polydecte
Île de Sériphos GRÈCE

DÉSIGNATION DES ARTICLES	RÉFÉRENCE	TAILLE/DIMENSION	QUANTITÉ
v▲s■g● d● f●mm●	321.3333	adulte 38/40	0003
c♦rps d● dr■g♦n	482.7777	imposant XXL	0003
s●rp●nt	963.6666	fin et long L	0600
●c■▲ll●	751.8888	extra large XL	6000
d●nt	804.5555	immense 20 cm	0096
l■ng▼● f♦▼rch▼●	567.1111	longue L	0003
gr▲ff● d'■▲r■▲n	678.4444	acérée XL	0024
■▲l● d'♦r	304.2222	vaste XXL	0006

NOTICE DE MONTAGE		KIT DE CONSTRUCTION N° I
Assemblez les pièces avec soin :		(en trois exemplaires)
- tête à monter	➡	visage, bouche, cheveux
- corps à couvrir	➡	pattes, ailes
Vous devez obtenir	☛	3 ______, c'est-à-dire ______ ______ ______

*Vous devrez donc les satisfaire au plus vite pour ne pas manquer à la réputation des **Redoutés**, la plus antique fabrique de monstres de la mythologie grecque (voir p. XXVIII). Mais lorsque vous aurez rassemblé les éléments demandés, saurez-vous reconnaître quel est l'être fabuleux qu'ils sont destinés à constituer (attention ! dans la liste des articles, chaque voyelle a été remplacée par un pictogramme) ? À vous de le préciser sur la notice de montage à rédiger et à joindre à la commande.*

Merci de livrer cette commande : ☐ à mon adresse (voir ci-dessous) ☐ au relais **Redoutés** le plus proche	BON DE COMMANDE. à renvoyer à GAIA et PONTOS 9999 Terre-sur-Mer Cedex	**LES REDOUTÉS** *Les Chouchous*

NOTEZ ICI VOTRE N° DE CLIENT ET VOTRE ADRESSE

N° de client : 1 0 1 2 6 3

Adresse : **Hercule** c/o Eurysthée
Royaume d'Argos GRÈCE

DÉSIGNATION DES ARTICLES	RÉFÉRENCE	TAILLE/DIMENSION	QUANTITÉ
s▲lh♦▼●tt● d'h♦mm●	654.1111	vieux 80/100	0001
●́c■▲ll● d● p♦▲ss♦n	751.8800	moyenne M	4000
p■tt● d● c■n■rd p■lm●́●	296.7777	large L	0004
b■rb● v●rd■̂tr● f■ç♦n t♦▼ff● d'■lg▼●s	453.8888	extra longue XL	0001
VOTRE COMMANDE DÉPASSE TROIS ARTICLES, CHOISISSEZ VOS CADEAUX (EN OPTION)			
p■tt● d● c●rf	101.2222	magnifique XL	0002
♦▲s●■▼ d● m●r	225.1111	immense XXL	0001
t●̂t● d● ch▲●n	301.3333	formidable XXXL	0003
s●rp●nt	963.6666	long et affreux L	0001

NOTICE DE MONTAGE	KIT DE CONSTRUCTION N° II
Assemblez les pièces avec soin :	
- tête à monter ➡	visage, barbe
- corps à couvrir ➡	mains, pieds
Selon le modèle choisi, rajoutez les options ➡	figure animale « à géométrie variable »
Vous devez obtenir ☛	------

Merci de livrer cette commande : ☐ à mon adresse (voir ci-dessous) ☐ au relais **Redoutés** le plus proche	BON DE COMMANDE à renvoyer à GAIA et PONTOS 9999 Terre-sur-Mer Cedex	**LES REDOUTÉS** *Les Chouchous*

NOTEZ ICI VOTRE N° DE CLIENT ET VOTRE ADRESSE

N° de client : [1][0][3][9][3][6]

Adresse : **Bellérophon** c/o Iobatès
Royaume de Lycie ASIE MINEURE

DÉSIGNATION DES ARTICLES	RÉFÉRENCE	TAILLE/DIMENSION	QUANTITÉ
c♦rps d● dr■g♦n	482.7777	énorme XXL	0001
●́c■▲ll●	751.8888	extra large XL	9000
t●̂t● d● l▲♦n	302.5555	grosse L	0001
t●̂t● d● b♦▼c	303.4444	épaisse L	0001
t●̂t● d● s●rp●nt	963.6000	allongée L	0001
q▼●▼● d● s●rp●nt	963.0006	très longue XXL	0001

NOTICE DE MONTAGE	KIT DE CONSTRUCTION N° III
Assemblez les pièces avec soin : - tête à monter ➡ - corps à couvrir ➡ Vous devez obtenir ☛	 Attention ! les gueules lancent des tourbillons de feu et de fumée ne pas oublier la queue ------

Solution : pour trouver les bonnes réponses, (re)lisez les chapitres I, IV et VI, ainsi que les pages XXXI-XXXII de l'Entracte.

LE LIVRE DES RECORDS

Vous avez fait la connaissance du « Superman » de l'Antiquité (chapitre IV) : impressionné(e) par sa puissance, vous décidez de dresser la liste de ses exploits pour l'envoyer au fameux Guiness Book *(le* Livre des Records*). Afin de mener votre enquête, vous demandez au héros lui-même de vous accorder une interview : il vous reçoit avec simplicité et vous raconte tout d'abord dans quelles circonstances il a manifesté sa force exceptionnelle. Mais attention ! la mémoire d'Hercule est moins efficace que ses muscles : perdu dans ses souvenirs, il vous propose trois versions différentes de la même aventure ; à vous de choisir parmi elles celle qui correspond à la véritable légende.*

1 Avant même l'âge d'un an, j'ai failli être écrasé par un énorme rocher qu'Atlas a jeté sur le hamac où je dormais : j'ai saisi le rocher au vol et je l'ai renvoyé sur la tête du géant.

2 À peine âgé de huit mois, je dormais dans mon berceau lorsque deux immenses serpents envoyés par Héra se sont glissés tout près de moi pour me dévorer : j'en ai pris un dans chaque main et je les ai étranglés net.

3 Alors que j'avais tout juste cinq ans, j'ai été attaqué sur le chemin de l'école par un épouvantable chien à trois têtes dressé par Nérée : au moment où il bondissait sur moi, je lui ai brisé le crâne d'un seul coup de poing.

Hercule vous remercie de lui avoir rendu la mémoire : il a retrouvé le récit de son tout premier exploit (n° __). À présent, il vous conduit dans son salon : aux murs sont accrochés douze parchemins soigneusement encadrés ; chacun est un diplôme illustré, signé du roi Eurysthée, qui atteste que le héros a bien accompli le travail imposé par son cousin selon les ordres de la déesse Héra. Mais vous vous apercevez que certains mots en ont été effacés et remplacés par des signes : chacun d'entre eux renvoie à une liste de termes (noms d'animaux extraordinaires, d'objets hors du commun, de lieux liés à l'exploit, de personnages humains ou fabuleux) que vous devrez remettre à leur place sur chaque parchemin avant de pouvoir les faire paraître dans le Livre des Records.

DIPLÔME D'HONNEUR

Eurysthée, roi d'Argos et de Mycènes

certifie que son cousin **Hercule**
a étranglé le ☹ qui ravageait la forêt de ⇥
au nord de l'Argolide. *Signé*

certifie
que son cousin **Hercule**
a tranché les neuf têtes
de l'☹ qui vivait au fond
des marais de ⇥
dans le territoire d'Argos.

certifie
que son cousin **Hercule**
a capturé vivant le ☹
qui dévastait les bois
sur le mont ⇥
au nord du Péloponnèse.

certifie
que son cousin **Hercule**
a capturé vivante la ☹
qu'il a poursuivie
pendant une année entière
autour du mont ⇥
en Arcadie.

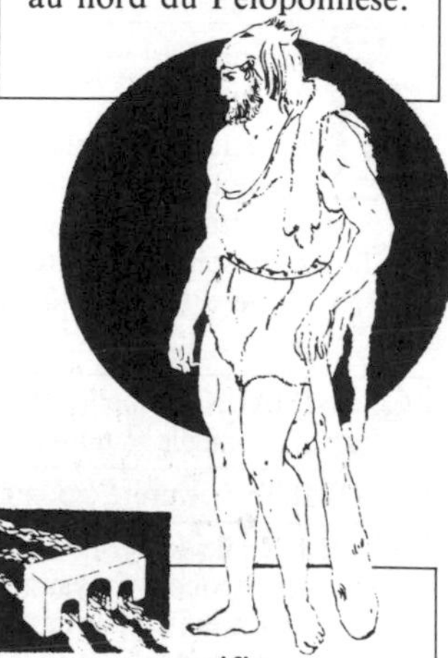

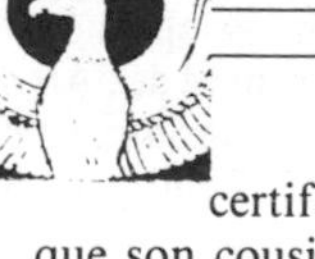

certifie
que son cousin **Hercule**
a tué tous les ☹
qui infestaient
les rives du ⇥
au nord du Péloponnèse.

certifie
que son cousin **Hercule**
a nettoyé de leur fumier
les ⊞ d'☺,
roi d'⇥, en détournant
le cours d'un fleuve.

certifie
que son cousin **Hercule**
a dompté le ☹ furieux,
offert par ☺ au roi ☺,
qui répandait la terreur
dans la ⇥ tout entière.

certifie
que son cousin **Hercule**
a maîtrisé les quatre ☹
que le roi ☺
nourrissait de chair humaine
dans son royaume de ⇥.

certifie
que son cousin **Hercule**
a obtenu la ⊞ d'☺,
reine des ☺, les
femmes guerrières de ⇥,
sur les bords du Pont-Euxin.

certifie
que son cousin **Hercule**
s'est emparé des ☹
du géant à trois corps ☺
dans l'île rouge d'⇥,
le pays du soleil couchant.

certifie que
son cousin **Hercule**
a obtenu les ⊞
du jardin des ☺,
les Filles du Soir qui habitent
le royaume d'☺ en ⇥.

certifie
que son cousin **Hercule**
a enchaîné le ☹,
le monstre à trois têtes
qui garde l'entrée des ⇥,
le royaume d'☺.

☹ ANIMAUX : juments ; hydre ; oiseaux ; lion ; chien Cerbère ; bœufs ; sanglier ; taureau ; biche.
⊞ OBJETS : ceinture ; pommes d'or ; écuries.
⇥ LIEUX : île d'Erythie ; lac Stymphale (nord du Péloponnèse) ; Lerne (Argolide) ; royaume de Thrace ; Némée (nord de l'Argolide) ; Enfers ; Mauritanie ; Cappadoce (Pont-Euxin) ; mont Erymanthe (nord du Péloponnèse) ; royaume d'Elide ; mont Cérynie (Arcadie) ; Crète.
☺ PERSONNAGES : Amazones ; Atlas ; Augias ; Minos ; Diomède ; Géryon ; Hippolyte ; Poséidon ; Hadès ; Hespérides.

Solution : (re)lisez attentivement le chapitre IV. Pour connaître de façon plus détaillée les travaux d'Hercule, lire les pp. 122-136 dans les *Contes et légendes mythologiques*, parus dans la même collection.

QUE DE MAUX ! JEU DE MOTS

Trop tard ! Pandore n'a pas résisté à la tentation d'ouvrir la terrible boîte confiée à Epiméthée par Hermès. Voilà que se déchaînent aussitôt d'horribles créatures qui s'éparpillent et se divisent, pour mieux s'acharner sur tous les êtres vivants. À chacun, désormais, son lot de misères !

En reconstituant le corps éclaté de ces monstres, vous obtiendrez sept mots / maux qui, désormais, tourmentent les hommes.

Mais il reste, au fond de la boîte, le nom d'une « petite fée ». *Retrouvez-le dans cet anagramme :*

P R E S C A N É E = |_|_|_|_|_|_|_|_|_|

Ne vous tourmentez pas, relisez le chapitre III.

LE TOUCHER D'OR

Vous avez lu l'édifiante histoire du roi Midas qui « aimait l'or par-dessus tout » (chap. II). Et si, à votre tour, vous pouviez bénéficier de cet extraordinaire « toucher d'or » que lui a offert un étrange inconnu ?

Rassurez-vous ! ce n'est pas sur des objets, mais sur des mots que va s'exercer votre nouveau pouvoir : voici une fleur cueillie par la petite Marie d'Or ; son cœur est en OR *et ses pétales constituent les termes que vous allez vous-même faire apparaître. Pour cela, vous prendrez chaque définition sur la page ci-contre selon leur numéro d'ordre. Attention ! le mot qui vous est donné est l'antonyme de celui que vous devez trouver : à vous de le transformer en son contraire grâce à votre « toucher ». Bien entendu, chacun de ces mots comporte la syllabe* or *et s'inscrit sur le même axe de part et d'autre de celle-ci dans le sens donné par le numéro (une lettre par case).*

Quant à notre cher Monsieur de l'Aubépine (*hawthorn* en anglais), ne trouvez-vous pas que lui aussi a « un cœur en or » ?

1 - entrée
2 - assez
3 - faible
4 - maintenue
5 - sud
6 - enlever
7 - vertical
8 - ordonné
9 - pauvreté
10 - bâbord
11 - faux
12 - importation
13 - raison
14 - dissension

À présent que votre fleur possède tous ses pétales « d'or », vous pourrez faire apparaître le nom de deux avares fort célèbres, aussi bornés que ce pauvre Midas ! le premier s'est illustré sur la scène du théâtre, l'autre dans de nombreux dessins animés. Pour les découvrir, il vous suffit de prendre sur chaque pétale numéroté la lettre correspondant à sa case :

1 - $7^{(1)}$ $4^{(3)}$ $11^{(4)}$ $12^{(3)}$ $6^{(1)}$ $8^{(6)}$ $14^{(2)}$ $2^{(2)}$

2 - $6^{(2)}$ $10^{(3)}$ $14^{(4)}$ $1^{(1)}$ $7^{(6)}$ $9^{(5)}$

Une dernière expérience pour votre toucher d'or : au fond d'un coffre-fort, vous avez trouvé enfermées pêle-mêle les pièces d'un troisième avare ; cette fois, il s'agit d'un fameux personnage de roman et lui aussi a bien fait souffrir sa fille, comme Midas. Chaque pièce porte le nombre qui correspond au numéro d'ordre d'une lettre dans l'alphabet : à vous de reconnaître le nom de leur propriétaire en remplaçant les pièces par les lettres et en les remettant dans l'ordre qui est indiqué par les chiffres romains. Songez qu'« un sou est un sou », mais que « l'argent ne fait pas le bonheur » !

ACTUALITÉS DE L'OLYMPE

Un certain nombre de mots et d'expressions de la langue française, ainsi que des épisodes de la tradition biblique et chrétienne peuvent être mis en relation avec des récits de la mythologie grecque. En voici quelques exemples illustrés :

Savez-vous que « **vif argent** » est l'ancien nom du **mercure** ? Ce métal est un liquide d'un blanc argenté qui évoque, par sa fluidité exceptionnelle, la mobilité du messager des dieux.

Le **caducée** d'Hermès évoque le jour où le dieu sépara avec sa baguette d'or surmontée de deux petites ailes deux serpents qui, après s'être battus, s'entrelacèrent autour de son bâton.

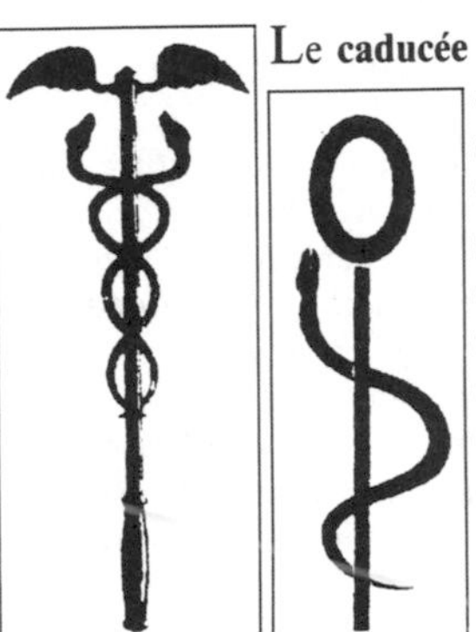

Le **caducée** médical composé de baguettes autour desquelles s'enroule un serpent et que surmonte le miroir de la prudence était l'emblème d'Asclépios (Esculape), le fils d'Apollon, considéré comme le dieu de la médecine.

Savez-vous que depuis que le géant **Atlas** fut changé en montagne par Persée, le nom propre **Atlas** désigne le plus haut massif montagneux du Maghreb en Afrique du Nord ?

La rivière **Pactole** fut appelée « le Fleuve qui roule de l'or » parce qu'elle charriait des paillettes d'or depuis le jour où le roi Midas s'y baigna pour se purifier. De nos jours, un **pactole** désigne une source inépuisable de profits exceptionnels.

Ne soyez pas surpris que l'on ait appelé **minerve** un appareil orthopédique destiné à maintenir la tête droite : cela s'explique parce que la déesse **Minerve / Athéna** ne quittait jamais la cuirasse qui lui donnait son fameux port altier.

Connaissez-vous la légende chrétienne de **Saint-Georges terrassant le dragon** pour délivrer une princesse ? Elle est directement inspirée de l'exploit mythique de **Persée** qui pourfendit un monstre marin au moment où celui-ci allait dévorer la belle Andromède enchaînée à une falaise.

Dans le mythe grec, **Pandore**, dont le nom rappelle qu'elle avait reçu des dieux « tous les dons », est la première femme. Trop curieuse, elle fut la responsable des misères de l'humanité. Comment ne pas associer son histoire à celle de l'**Ève** biblique qui, à la suite de sa désobéissance, fut chassée du Paradis et entraîna la condamnation de chaque être humain à tous les maux de l'existence !

Pourquoi appelle-t-on « **cuisse de nymphe émue** » la couleur rose incarnat ? Parce qu'elle rappelle la pudeur effarouchée des nymphes, séduisantes mais chastes compagnes de Diane, la farouche déesse.

C'est avec la peau de la chèvre Amalthée, qui l'a nourri dans sa petite enfance, que Zeus/Jupiter s'est fait une armure pour lutter contre les Titans : l'**égide** (du mot grec ***aigos***, la « chèvre »). Devenue symbole de souveraineté, l'égide est souvent portée par sa fille chérie Athéna/Minerve.

FAÇON DE PARLER

Placez en face de chaque mot ou expression qui vous sont proposés ci-dessous le numéro de la définition correspondante.

une minerve	A		1. une œuvre colossale
une chimère	B		2. une femme méchante et acariâtre
être médusé	C		3. être sous l'autorité protectrice de
un atlas	D		4. un homme d'une grande beauté
le mercure	E		5. le temps heureux des origines
un pégase	F		6. un métal très fluide
un hercule	G		7. un gardien intraitable et hargneux
un apollon	H		8. un appareil orthopédique
une nymphe	I		9. une majestueuse sérénité
être sous l'égide de	J		10. être frappé de stupeur
un pactole	K		11. un homme d'une force exceptionnelle
un calme olympien	L		12. une vaine imagination
une mégère	M		13. une source de richesses inépuisable
un cerbère	N		14. un poisson dont les nageoires ressemblent à des ailes
un travail de titan	O		15. un recueil de cartes géographiques
l'âge d'or	P		16. une jeune fille qui séduit par sa grâce

À LA POURSUITE-TRIVIALE DE LA GORGONE

La Gorgone Méduse vous propose de l'affronter seul(e) ou à plusieurs.

MATÉRIEL :

- une **piste** en forme de serpent ; les 24 anneaux numérotés de ce monstre correspondent aux 24 cartes dont vous disposez pour jouer ; dans les 6 autres anneaux se sont glissées des figurines bienveillantes ou malfaisantes :
  - le casque ailé d'Hermès ;
  - l'œil unique des Grées ;
  - la tête échevelée de Méduse.
- 24 **cartes** : 18 correspondent aux six contes que vous venez de lire, 6 (signalées par une étoile) permettent de tester ce que vous avez retenu des informations qui vous sont données dans les notes ou dans l'Entracte. Chaque carte vous propose 3 questions (a, b, c) de difficulté graduée ;
- un **dé** et autant de **pions** que de joueurs.

BUT DU JEU :

Terrasser le monstre en obtenant un maximum de points.

RÈGLE DU JEU :

- **Quand vous arrivez sur l'un des anneaux numérotés** du serpent, reportez-vous à la carte portant le même numéro et **choisissez votre question**, en fonction du degré de difficulté que vous êtes prêt(e) à affronter : une question a) vous rapporte 1 point, b) 2 points, c) 3 points ; si vous êtes sur une **carte marquée d'une étoile (*)**, multipliez votre score par 2. **Additionnez** au fur et à mesure les points que vous obtenez.
- Si un coup de dé place votre pion **sur une figurine**,
  - Hermès est de bon conseil : attribuez-vous 3 points si vous jouez seul(e) ou rejouez si vous êtes plusieurs ;
  - Les Grées vous font perdre du temps : rendez 2 points si vous cheminez en solitaire ou passez un tour si vous avez des compagnons d'aventure ;
  - Méduse vous transforme en statue : si vous voulez revivre, reprenez le départ au prochain tour.

- Si vous jouez à **plusieurs,** votre **ordre d'arrivée** peut vous **rapporter des points** : 15 si vous êtes le premier de 4 joueurs, 10 si vous êtes le premier de 3, 5 si vous êtes avant-dernier, et bien sûr 0 pour le dernier.
- Lorsque vous touchez **exactement la tête du monstre** (n° 24), vous arrêtez le combat. Si votre coup au dé vous fait dépasser ce numéro, reculez d'autant d'anneaux que vous avez obtenu de points en trop.

Vous êtes prêt(e) à partir ? Alors lancez le dé et progressez d'autant d'anneaux que vous comptez de points. Lecture et mémoire sont vos seules armes.

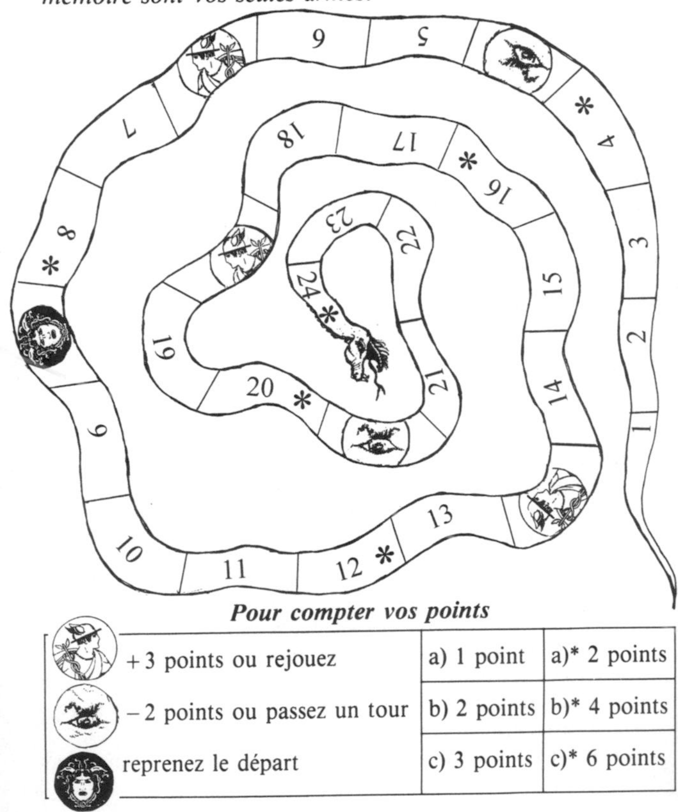

Pour compter vos points

+3 points ou rejouez	a) 1 point	a)* 2 points
–2 points ou passez un tour	b) 2 points	b)* 4 points
reprenez le départ	c) 3 points	c)* 6 points

CHAPITRE I

Qui suis-je ? 1

a) Je partage un œil et une dent avec mes sœurs.
b) Je fus transformé en montagne par Persée.
c) Je fus livrée aux flots avec mon fils Persée.

Persée reçut trois cadeaux magiques. À quoi lui servit chacun d'eux ? 2

a) Des sandales.
b) Un casque.
c) Une besace.

3

a) Comment moururent Polydècte et ses conseillers ?
b) Comment Persée peut-il regarder la Gorgone sans être pétrifié ?
c) Qui menaçait la belle Andromède enchaînée à une falaise ?

Histoires de femmes 4*

a) Les dieux la parèrent de tous les dons, mais elle donna aux hommes tous les maux.
b) Épouse divine du plus volage des Olympiens, sa jalousie est implacable.
c) Trop fière de sa beauté, elle fut livrée, enchaînée, à un monstre marin.

CHAPITRE II

Vous êtes Midas 5

a) Quel vœu avez-vous formulé quand un dieu vous rendit visite pour la première fois ?
b) Où est enfermé votre trésor ?
c) Vous avez failli être perdu par votre principal défaut : jalousie ? cupidité ? tyrannie ?

Vous êtes Marie d'Or 6

a) Que devenez-vous au contact affectueux de votre père ?
b) Quel souvenir gardez-vous de votre métamorphose ?
c) Quelle unique trace vous a laissée la folie de votre père ?

7

a) Pourquoi le roi Midas pique-t-il une tête dans une rivière ?
b) Pourquoi Marie est-elle en pleurs quand elle vient saluer son père ?
c) Pourquoi le pouvoir magique de Midas ne s'est-il pas exercé au moment de son réveil ?

Ne pas confondre ! 8*

a) Nérée est une reine ? un vieillard ? une magicienne ?
b) Les Hespérides sont des nymphes ? des montagnes ? une variété de pommes ?
c) Les Harpyes sont des déesses ? des îles ? des monstres ?

1

a) Une Grée.

b) Atlas.

c) Danaé.

2

a) À voler.

b) À se rendre invisible.

c) À transporter la tête de Méduse (sans prendre de risque !).

3

a) Pétrifiés / changés en pierres.

b) En regardant son reflet dans son bouclier.

c) Un monstre marin.

4*

a) Pandore.

b) Héra / Junon.

c) Andromède.

5

a) Avoir le « toucher d'or ».

b) Dans un caveau (du palais).

c) La cupidité.

6

a) Une statue d'or.

b) Aucun.

c) Des cheveux dorés (à la place de vos cheveux bruns).

7

a) Pour perdre son « toucher d'or » / pour se purifier.

b) Parce que les fleurs sont devenues jaunes et sans parfum.

c) Parce que le soleil n'était pas encore levé.

8*

a) Un vieillard.

b) Des nymphes.

c) Des monstres.

CHAPITRE III

Vous êtes Epiméthée **9**

a) Qui vous a confié la boîte fatale ?

b) Qu'avez-vous promis en recevant la boîte fatale ?

c) Quel est votre péché mignon ?

10

a) Pourquoi, une fois la boîte fatale ouverte, les maux se répandent-ils dans tout l'univers ?

b) Pourquoi Pandore fut-elle envoyée à Epiméthée ?

c) Pourquoi Épiméthée laisse-t-il finalement Pandore ouvrir la boîte fatale ?

La boîte fatale de Pandore **11**

a) Elle renferme un unique bienfait : lequel ?

b) Quel obstacle faut-il surmonter pour l'ouvrir ?

c) Quel dessin orne son couvercle ?

Comment nomme-t-on : **12***

a) Celui qui est né de l'union d'un dieu avec une mortelle ?

b) L'ensemble des récits de la vie des dieux ?

c) La rivière qui délivra Midas de son sortilège ?

CHAPITRE IV

Vous êtes Hercule **13**

a) Encore au berceau vous vous distinguez par un exploit : lequel ?

b) Quel est votre vêtement préféré ?

c) À qui devez-vous remettre les pommes d'or ?

Quel monstre suis-je ? **14**

a) Humanoïde barbu couvert d'écailles, j'ai le don de la métamorphose.

b) Si vous coupez une de mes têtes, il en repousse deux !

c) D'une race très ancienne, je suis moitié homme, moitié cheval.

15

a) Quel géant soutient le ciel avec sa tête et ses bras ?

b) Citez une des deux armes que porte Hercule pendant son périple en Italie.

c) À qui appartient le jardin où poussent les pommes d'or ?

Reconnaissez les dieux à leurs attributs **16***

a) Il porte un caducée ailé.

b) Elle tient un rameau d'olivier à la main.

c) Il possède l'égide.

13

a) Étrangler deux serpents qui me menacent.

b) Une peau de lion (celle du lion de Némée).

c) À mon cousin le roi Eurysthée.

9

a) Vif-Argent/Hermès/Mercure.

b) De ne pas y toucher.

c) Trop aimer les figues.

14

a) Nérée.

b) L'Hydre de Lerne.

c) Un Centaure.

10

a) Parce que Pandore et Épiméthée ouvrent portes et fenêtres.

b) Pour qu'il ne s'ennuie pas / Pour jouer avec lui.

c) Car il a succombé à la curiosité.

15

a) Atlas.

b) Massue / arc.

c) Aux Hespérides.

11

a) L'Espérance.

b) Un nœud extraordinairement compliqué.

c) Une figure couronnée de fleurs (tantôt souriante, tantôt sérieuse).

16*

a) Hermès / Mercure.

b) Athéna / Minerve.

c) Zeus / Jupiter.

12*

a) Un héros.

b) La mythologie / la théogonie.

c) Le Pactole / Le fleuve qui roule de l'or.

CHAPITRE V

17

a) Quel est le seul désir de Philémon et Baucis ?

b) Où résident les dieux grecs ?

c) Qu'est-ce qui est enroulé autour du bâton de Vif-Argent ?

18

a) Pourquoi la cruche de Philémon et Baucis est-elle miraculeuse ?

b) Citez trois des mets que Baucis sert à ses hôtes divins.

c) Citez une boisson ou un mets que les dieux ont l'habitude de consommer.

En quoi furent métamorphosés **19**

a) Philémon et Baucis après leur mort ?

b) La chaumière de Philémon et Baucis ?

c) Les voisins de Philémon et Baucis après la destruction du village ?

Variations **20***

a) « Ô taon suspends ton vol ! » aurait pu hennir ce fameux cheval.

b) Nombreuses sont encore les émules de cette Erinye !

c) Elle naquit d'un violent coup de marteau que son divin père reçut sur la tête.

CHAPITRE VI

Qui suis-je ? **21**

a) C'est moi qui ai indiqué à Bellérophon que Pégase venait boire à la fontaine.

b) J'ai enlacé Pégase et je suis tombée la dernière.

c) De ma tête tranchée a jailli un cheval ailé.

Vous avez dit Chimère ? **22**

a) Que vomissent ses trois têtes terrifiantes ?

b) Dans quel continent se trouve sa caverne ?

c) De quoi se nourrit-elle ?

23

a) Quelle est la couleur de la robe de Pégase ?

b) Comment Bellérophon réussit-il à dompter Pégase ?

c) La Lycie est-elle une femme ? une province ? un monstre ?

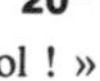

Ça y est, vous êtes arrivé(e) ! **24***

Vous avez la trempe d'un HÉROS ! Mais avant de trancher la tête du monstre, vous devez affronter une dernière épreuve :

a) Roi des dieux et des séducteurs, il a un charme foudroyant.

b) Fils d'Apollon, il a un caducée pour emblème.

c) Lui n'a pas perdu la tête ! Il en a même trois que seul Hadès/Pluton peut caresser.

21

a) Un enfant.

b) La gueule de serpent de la Chimère.

c) La Gorgone Méduse.

17

a) Vivre et mourir ensemble.

b) Sur l'Olympe.

c) Deux serpents.

22

a) Des flammes (et de la fumée).

b) En Asie.

c) D'hommes et d'animaux vivants.

18

a) Parce qu'elle ne se vide jamais.

b) Miel - raisin - lait - fromage - pain.

c) Nectar / Ambroisie.

23

a) Blanche (comme neige).

b) En introduisant le frein d'or dans sa bouche.

c) Une province.

19

a) En un chêne et un tilleul.

b) En un palais de marbre blanc.

c) En poissons.

24*

a) Zeus / Jupiter.

b) Asclépios / Esculape.

c) Cerbère.

20*

a) Pégase.

b) Mégère.

c) Athéna / Minerve.

TENDRE RAMAGE

Un tilleul et un chêne sont enlacés pour toujours. Si vous vous reposez à leur ombre, vous entendrez un curieux murmure sortir des rameaux. Il vous est facile d'en découvrir le message en décryptant l'entrelacs de leurs branchages. Amusez-vous à décoder (= bcambcp) les noms que deux dieux ont gravés sur leur tronc. Il vous restera à identifier ces divinités mystérieuses en relisant le chapitre V.

POUR EN SAVOIR PLUS

AU PAYS DES MERVEILLES
Petite initiation à la mythologie

I – LE TEMPS DES MONSTRES*

Chaque civilisation possède un ensemble de légendes primitives pour tenter d'expliquer la naissance de l'univers — la genèse (du grec *génésis* qui signifie naissance, génération) — et son évolution jusqu'à l'apparition de l'homme. Ces différentes légendes révèlent bien souvent de nombreuses similitudes : la création de l'homme et de la femme, le déluge dévastateur, par exemple, présentent bien des points communs entre les récits bibliques** et ceux transmis par l'héritage gréco-romain ; quant aux aventures des grands héros, elles se retrouvent aussi bien d'une tradition à l'autre, malgré quelques variantes. Ces histoires merveilleuses — au sens où elles font intervenir le surnaturel — constituent un ensemble cohérent, imaginé par les hommes pour rendre compte du monde dans lequel ils vivent : **la mythologie** (du grec *muthos* qui désigne tout récit produit par l'imagination, donc échappant au souci de réalité).

En Grèce, des récits d'abord oraux puis écrits sont mis en forme très tôt pour tenter de donner une sorte d'histoire chronologique et explicative du monde organisé, que l'on appelle **cosmogonie** (en grec, le mot signifie « naissance du *cosmos* », c'est-à-dire de « l'ordre de l'univers »), jusqu'à l'apparition des divinités qui le gouvernent, dont témoigne la **théogonie** (en grec, la « naissance des dieux »).

La plus célèbre de ces histoires du monde est l'œuvre du poète **Hésiode**, né dans le petit village d'Ascra, en Béotie (Grèce continentale), au VIIIe siècle avant J.-C. Il a composé deux poèmes : l'un, la *Théogonie* (1 022 vers), résume les conceptions grecques sur la création du monde et offre une synthèse originale entre les traditions venues d'Orient et les croyances apportées au deuxième millénaire av. J.-C. par les envahisseurs aryens venus d'Europe centrale pour s'installer en Grèce ; l'autre, *Les*

* On pourra lire la suite de cette présentation sous le titre « II - Les maîtres de l'Olympe » dans l'Entracte du *Second Livre des Merveilles*.

** À lire dans la même collection : *Contes et légendes de la Bible* (2 vol.).

Travaux et les Jours (828 vers), propose des conseils pratiques et des préceptes moraux pour la vie quotidienne des paysans de son temps, mais aussi des récits merveilleux, comme le mythe de Pandore (voir le chapitre III) et celui de l'Âge d'or. C'est sur cette œuvre que s'élabore par la suite l'essentiel de la mythologie grecque puis romaine.

Voici donc comment les Anciens imaginaient les grandes étapes de la création de l'univers : elles constituent la matière mythologique fondamentale, transmise selon « des formes consacrées par quelque deux ou trois mille ans d'ancienneté » que Nathaniel Hawthorne « a remodelées au gré de sa fantaisie » pour en faire précisément ses *Livres des merveilles*. (Préface, p. 8).

LA NAISSANCE DE L'UNIVERS

Du **Chaos** préexistant — en grec « chaos » signifie le « gouffre béant », le désordre avant l'ordre du cosmos — surgit le premier élément solide, « la base sûre de tout ce qui est » (Hésiode) : **Gaia**, dont le nom signifie la Terre. Elle s'est créée seule et, de la même façon, par sa seule action, elle fait apparaître **Ouranos**, le Ciel, et **Pontos**, le Flot brutal de la Mer, avec qui elle va s'unir pour donner naissance à toute une série de divinités plus ou moins monstrueuses. Peu à peu les traditions vont donner à ces créations des caractéristiques de plus en plus humaines : c'est le principe de l'**anthropomorphisme** (en grec, donner la « forme de l'homme ») qui fait que les hommes imaginent les forces qui les dépassent à leur image. Ainsi de simples abstractions ou représentations d'éléments naturels deviendront des dieux et des déesses avec tous les traits physiques et moraux des hommes et des femmes.

Les deux unions primordiales de Gaia avec Ouranos et avec Pontos s'inscrivent dans un ordre « naturel » de la mise en place du cosmos : les trois principes élémentaires de base, Terre (élément « femelle »), Ciel et Mer (éléments mâles), doivent s'unir pour engendrer de nouvelles créations. Mais celles-ci représentent encore un état primitif de la matière dont les caractéristiques sont proprement « monstrueuses » (le mot latin *monstrum* désigne « tout ce qui sort de la nature » et qui constitue un prodige, merveilleux ou terrifiant) car elles ne sont pas encore ordonnées par les normes d'une logique rationnelle et définitive qui éliminera toutes les anomalies de la nature. Chez les monstres tout est possible (les bizarreries les plus étranges) et tout est fluctuant (les transformations les plus inattendues selon le principe de métamorphose).

Nous présentons ici les principales figures monstrueuses nées de l'union de **Gaia** avec **Pontos**, dont beaucoup sont évoquées par les récits de Hawthorne ; dans l'Entracte du *Second Livre des Merveilles* (« Les maîtres de l'Olympe ») seront présentées les créatures nées de l'union de **Gaia** avec **Ouranos**, qui sont à l'origine des grands dieux du panthéon grec.

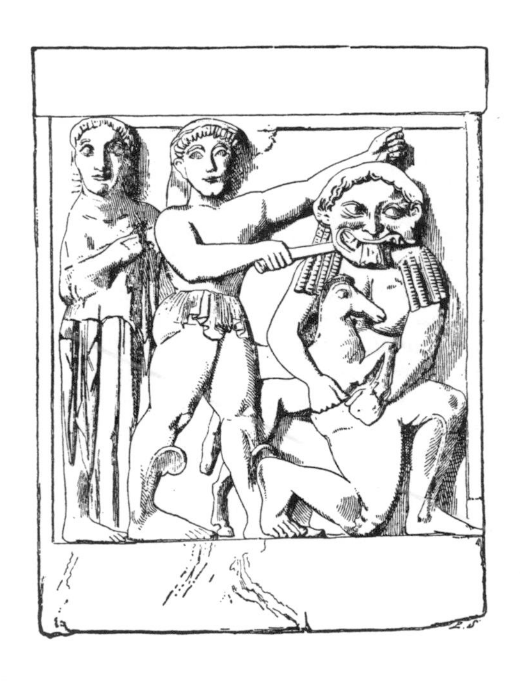

Persée tuant la Gorgone (Métope de Sélinonte, Palerme)

MONSTRES EN SÉRIE

Gaia et Pontos sont animés par une violence primitive qui pousse ces forces à l'état brut à s'unir pour assurer la reproduction : Pontos, l'incarnation de la puissance brutale de la mer déchaînée (celle des premiers temps du monde, et non la « gentille » *Thalassa* qui berce les plages de la Méditerranée !), féconde Gaia, l'incarnation de la puissance nourricière de la terre. Voici une rapide généalogie de leurs « enfants » (en majuscules, ceux qui interviennent dans les récits de Hawthorne) :

Gaia + Pontos

- **NÉRÉE**, appelé le « Vieillard de la Mer » (voir chap. IV, p. 69) ; ce fils aîné tient de son « père » ses « traits » marins et possède un étonnant pouvoir de métamorphose.
- **Thaumas**, le père des trois **HARPYES**, mi-femmes mi-oiseaux (voir chap. VI dans *Le Second Livre des Merveilles*).
- **Phorcys** qui « épouse » sa propre sœur **Céto** ; c'est de cette union « incestueuse » que va sortir l'essentiel des monstres intervenant dans les aventures de nos grands héros :
  - **les trois GRÉES**, c'est-à-dire « les Vieilles » (chap. I, p. 18), n'ont qu'un seul œil et une seule dent pour trois.
  - **les trois GORGONES**, **Sthéno**, **Euryalé** et **MÉDUSE** (chap. I, p. 24) ; d'une union avec Poséidon, le dieu marin, Méduse conçoit deux êtres fabuleux qui « naissent » de son cou tranché par Persée :
    - **Chrysaor**, le père du géant à trois corps **GÉRYON** (chap. IV, p. 68).
    - **PÉGASE**, le cheval ailé (chap. VI, p. 105).
  - **Echidna**, c'est-à-dire « la Vipère » ; dotée d'un corps de femme terminé par une queue de serpent, elle s'unit à **Typhon** — un géant terrifiant lui-même né de **Gaia** et du **Tartare**, le Gouffre sous les Enfers — pour donner naissance à une première série de monstres :

- **CERBÈRE**, le chien à trois têtes qui garde l'entrée des Enfers (Entracte, p. XVIII et chap. V dans *Le Second Livre des Merveilles*).
- **Orthros**, le chien qui garde les troupeaux de Géryon.
- **l'HYDRE de Lerne** (chap. IV, p. 67).
- **le DRAGON** à cent têtes qui garde le pommier d'or des Hespérides (chap. IV, p. 66).
- **la CHIMÈRE**, c'est-à-dire « la Chèvre », pourvue de trois têtes (lion, chèvre, serpent) qui crachent des flammes (chap. VI, p. 108).

Unie à son propre « fils » **Orthros, Echidna** met encore au monde une deuxième série de monstres :

- **le LION de Némée** (chap. IV, p. 65).
- **le Sphinx**, le monstre à tête et buste de femme sur un corps de lion que doit affronter Œdipe.
- **le DRAGON de Colchide** qui garde la Toison d'Or (chap. VI dans *Le Second Livre des Merveilles*).

Cette « galerie » d'êtres fabuleux parmi les plus célèbres de la mythologie illustre bien les principaux critères de la monstruosité : le gigantisme (Géryon), l'absence d'organes (un seul œil et une seule dent pour les Grées) ou, à l'inverse, leur prolifération (Cerbère à trois têtes, le triple Géryon), l'hybridité qui « croise » plusieurs espèces animales différentes (la Chimère) ou mélange l'homme et la bête (les Harpyes, le Sphinx), le pouvoir de métamorphose (Nérée).

Que ce soit par la confusion des générations (la « mère » s'unit au « fils ») ou par celle de la morphologie, tous ces monstres portent en eux la marque du Chaos originel, de la violence primitive du monde. Leur élimination par les héros, nés de l'union d'un dieu avec une mortelle, instaure l'avènement d'un ordre plus harmonieux, plus humain, grâce au triomphe de l'intelligence et de la raison sur les forces brutales de l'instinct (l'interprétation psychanalytique des mythes en fait aussi le triomphe du « surmoi » sur le « ça »).

AU PROGRAMME DU

SECOND LIVRE DES MERVEILLES

Découvrez :

- Thésée contre le redoutable Minotaure
- Hercule vaincu par les Pygmées
- Cadmus à la recherche de sa sœur Europe
- Ulysse dans le palais de la magicienne Circé
- Proserpine enlevée par l'infernal Pluton
- Jason à la conquête de la Toison d'Or

Retrouvez dans l'Entracte :

- des jeux variés
- la suite de l'initiation à la mythologie : « Les maîtres de l'Olympe »
- les héros et leurs aventures au cinéma dans une filmographie commentée

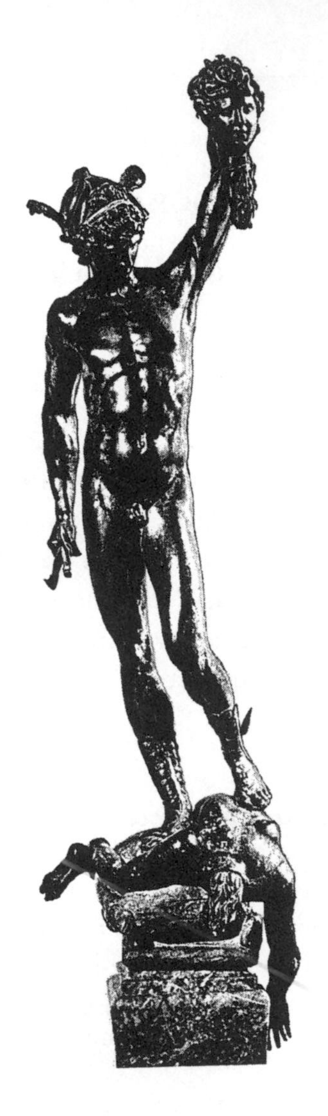

Persée brandissant la tête de Méduse,
bronze de Benvenuto Cellini (autour de 1550), Florence.

V

LA CRUCHE MIRACULEUSE

Un soir des temps anciens, la vieille Baucis et le vieux Philémon, son mari, étaient assis au seuil de leur chaumière. Ils venaient de manger leur soupe quotidienne et ils respiraient l'air pur de ce beau jour finissant en regardant les dernières traînées roses que le soleil avait laissées au ciel.

Après s'être entretenus de leur jardin, de leurs abeilles, de la vigne qui tapissait le mur de leur petite maison et de leur unique vache qui se faisait maintenant un peu vieille, ils allaient se lever pour gagner leur lit, lorsqu'ils entendirent des cris d'enfants et des abois furieux.

— Ah ! dit Philémon, c'est sans doute quelque voyageur égaré qui demande l'hospitalité à nos voisins. Et ceux-ci, comme à leur habitude, lancent les chiens à ses trousses au lieu de lui faire bon accueil !

— Toujours les mêmes ! répondit Baucis. Ils n'ont aucune pitié pour leur prochain. Et tout naturellement, leurs enfants sont comme eux : on leur apprend dès leur plus jeune âge à jeter des pierres aux étrangers.

— Pour sûr, on ne peut rien attendre de bon d'enfants qui ont été élevés de la sorte, reprit Philémon en secouant sa vieille tête blanche. Et à vrai dire, chère Baucis, je ne serais pas surpris qu'un terrible malheur vienne un jour frapper les habitants de ce pays pour les punir de leur cruauté.

— Tu as raison, mon cher mari, répondit Baucis. Comment peut-on refuser de partager son pain avec un voyageur affamé ?

Les deux bons vieillards qui parlaient ainsi étaient fort pauvres et ne parvenaient à gagner leur vie qu'à force de travail. Philémon piochait le jardin. Baucis filait la laine et faisait du beurre ou du fromage avec le lait de la vache. Ils n'avaient pour toute nourriture que celle qu'ils produisaient eux-mêmes : du pain, des légumes et du lait, parfois une grappe de leur treille, parfois un rayon de miel de leur ruche. Mais ils se seraient plutôt privés de souper que de laisser partir le ventre creux quiconque s'arrêtait à leur porte.

La chaumière de Philémon et de Baucis se dressait sur une petite colline, au-dessus d'une vallée riante qui, jadis, avait servi de lit à un lac. Oui, autrefois, au commencement du monde, des poissons avaient nagé là parmi les roseaux. Mais peu à peu les eaux s'étaient retirées, et des hommes étaient venus, bâtissant des maisons et cultivant ce sol fertile. Il n'en restait qu'un petit ruisseau qui murmurait à l'ombre de grands chênes et serpentait gracieusement entre les habitations.

Un vallon si charmant, et favorisé de telle sorte par le Ciel, aurait dû rendre bons et généreux tous ceux qui avaient la bonne fortune d'y vivre. Eh bien ! c'était tout le contraire. Ceux qui demeuraient là, quoique ne manquant de rien, se montraient sans pitié pour tous les pauvres gens qui venaient à traverser leur village. Aussitôt les enfants, garçons et filles, se mettaient à crier après eux en leur jetant des pierres, tandis que les parents, loin de les arrêter, les encourageaient de leur fenêtre !

Il y avait aussi là quantité de gros chiens que l'on avait dressés à mordre les étrangers, du moins lorsqu'ils allaient à pied et qu'ils étaient habillés pauvrement, ce que les affreuses bêtes reconnaissaient fort bien. Que voulez-vous faire contre une vingtaine de mâtins grondant et jappant qui se jettent sur vous, vous mordent les mollets, vous déchirent vos habits ? Avant n'avoir eu le temps de vous sauver, vous êtes déjà déguenillé et sanglant. Il n'arrivait rien de moins à tous les voyageurs qui s'aventuraient dans les rues de ce maudit village, et c'était un bien triste spectacle quand il s'agissait d'un pauvre vieillard infirme. Il faut dire que la chose se faisait de plus en plus rare : le bruit s'en était répandu à la ronde et l'on avertissait chacun de faire un détour plutôt que de passer par là.

Remarquez bien qu'il n'en était pas du tout de même lorsque de riches personnages traversaient le pays en voiture. Alors, si un chien s'avisait de gronder, on le renvoyait à la niche à coups de pied ; si un enfant se montrait insolent à l'égard du respectable voyageur, une paire de gifles le faisait bientôt changer de chanson. Car ces tristes villageois n'avaient de respect que pour l'argent, et nullement pour l'âme humaine qui habite le corps du pauvre aussi bien que le corps du riche.

Or, ce jour-là, c'était tout un vacarme de cris et d'abois qui montait du village jusqu'à la maison des deux bons vieillards.

— Je n'ai jamais entendu les enfants hurler de la sorte ! s'écria Philémon.

— Ni les chiens aboyer si furieusement ! ajouta Baucis.

Et ils se regardèrent en hochant la tête.

— On dirait que le bruit se rapproche, reprit Philémon en surveillant du regard le tournant du chemin qui montait en lacet jusqu'à la chaumière.

— Les voici ! dit tout à coup Baucis. Ils sont deux. Pourvu qu'ils parviennent à tenir les chiens en respect !

On voyait en effet, sur le sentier abrupt, deux étrangers environnés de chiens hurlants et suivis à quelque distance d'une bande de galopins qui leur jetaient une grêle de pierres. Chose étrange, celles-ci ne semblaient pas les atteindre.

Les deux hommes marchaient d'un pas égal sans prêter la moindre attention aux vauriens. Lorsque les chiens les talonnaient de trop près, le plus jeune, qui était svelte et élancé, les chassait soudain d'un geste vif avec le bâton qu'il tenait à la main. Mais son compagnon, plein de dignité et de calme, poursuivait sa route sans tourner seulement la tête.

Tous deux étaient vêtus très simplement : sans doute les habitants du village en avaient-ils conclu qu'il n'y avait rien à gagner avec eux : voilà pourquoi ils les faisaient chasser ignominieusement par les enfants et les chiens.

— La côte est rude, dit Philémon, et peut-être ont-ils faim. Femme, allons à leur rencontre.

— Vas-y seul, répondit Baucis ; pendant ce temps-là, je préparerai le pain et le lait, à défaut d'un meilleur souper.

Et elle se hâta de rentrer dans la maison.

Philémon s'avança au-devant des voyageurs et, leur tendant la main, leur dit d'un ton cordial :

— Soyez les bienvenus, mes amis. Vous devez être fatigués : venez donc vous reposer chez moi.

— Grand merci ! répondit avec vivacité le plus jeune des deux voyageurs. Voilà un accueil bien différent de celui que nous avons reçu dans le village ! Comment donc se fait-il que vous viviez dans un si mauvais voisinage ?

— Ma foi, répondit Philémon avec un bon sourire, je vis où la Providence m'a placé. Vous voyez qu'elle a eu raison, puisque je suis en mesure de réparer le tort qu'on vous a fait là-bas.

— Bien parlé, mon vieux père ! s'écria le voyageur avec un rire clair. Je ne vous cacherai pas que nous avons besoin de quelque secours. Ces galopins nous ont jeté des pierres et des boulettes de boue, et l'un des chiens a bel et bien déchiré mon manteau, voyez, en s'y suspendant avec ses crocs. Il est vrai qu'il a reçu pour la peine un bon coup de bâton sur le museau : vous avez dû l'entendre hurler.

Tout respirait en lui la bonne humeur. Il ne paraissait pas fatigué le moins du monde, malgré la longue journée de marche qu'il avait dû fournir, et il s'enveloppait avec une vivacité enjouée dans son manteau. « Pourquoi un manteau en été ? pensa Philémon. Peut-être pour cacher un vêtement de dessous en lambeaux. » Il avait sur la tête un drôle de chapeau retroussé au-dessus des oreilles, avec comme deux petites ailes. Mais ce qui frappa surtout Philémon, c'était combien le voyageur avait le pied léger : à peine s'il semblait reposer à terre.

— Moi aussi, j'étais alerte jadis, dit le vieillard, mais même alors, il me semblait que mes pieds devenaient plus lourds à la tombée de la nuit.

— Rien de tel qu'un bon bâton comme celui-ci pour s'aider à marcher, répondit le voyageur en montrant à Philémon le plus singulier bâton qu'il eût jamais vu. C'est du bois d'olivier, dit le bon vieillard après l'avoir examiné. Mais quel curieux travail ! Ces deux serpents sont si bien sculptés qu'on croit les voir se tordre. Et ces deux petites ailes, là, en haut, sont du plus gracieux effet !

Cependant ils étaient arrivés devant la porte de la chaumière. Philémon invita ses hôtes à s'asseoir sur un banc et ajouta :

— Ma femme Baucis a été voir ce qu'elle va vous donner en guise de souper. Oh ! ne vous attendez pas à des merveilles, car nous sommes de pauvres gens. Mais tout ce qui se trouve dans notre maison est à vous.

Le plus jeune des étrangers s'étendit sur le banc avec nonchalance et, ce faisant, laissa tomber à terre son bâton. Alors il se produisit une chose tout à fait extraordinaire : voilà-t-il pas que le bâton se releva de lui-même et, mi-sautillant, mi-voltigeant de ses deux petites ailes, alla s'appuyer au mur où il resta bien tranquille, hormis pour les serpents qui continuaient à se tordre : c'est du moins ce que crut voir Philémon, mais il pouvait bien se tromper, car l'âge lui brouillait la vue, et d'ailleurs il faisait presque nuit.

À ce moment, le plus âgé des voyageurs se tourna vers lui et lui demanda d'une voix grave :

— N'y avait-il pas jadis un lac dans le vallon, à l'endroit où se dresse à présent le village ?

— Pas que je sache, répondit Philémon. Je ne me souviens pas d'avoir vu rien de tel, même dans mon jeune temps : c'étaient comme aujourd'hui des prairies, de grands arbres et ce petit ruisseau. Mon père et mon grand-père ont eu avant moi le même spectacle, et sans doute s'offrira-t-il au regard, toujours pareil, lorsque je serai parti pour l'autre monde et qu'on m'aura oublié sur cette terre.

— Nul ne peut l'affirmer, répliqua l'étranger d'une voix impérieuse en secouant les boucles de son épaisse chevelure noire. Puisque les habitants de ce village ont perdu toute bonté naturelle, mieux vaudrait que le lac reprît sa place dans le vallon pour effacer jusqu'aux traces de leur séjour !

Ce disant, il fronça le sourcil d'un air sévère, et le ciel parut s'assombrir davantage. Déjà, quand il avait secoué la tête, un lointain roulement de tonnerre avait retenti dans l'espace. Philémon s'effraya presque, mais le noble visage de l'étranger retrouva toute sa bienveillance, et le vieillard n'éprouva plus aucune crainte.

Il s'étonnait cependant de voir tant de majesté chez un homme aussi humblement vêtu et qui allait à pied. Ç'aurait pu être un prince déguisé faisant le tour de ses États pour connaître de près ses sujets. Mais Philémon pensa que ce devait être plutôt quelque sage, ennemi du confort et des richesses, qui parcourait le monde pour augmenter son savoir. Quoi qu'il en fût, son regard était chargé de pensées.

Tandis que Baucis achevait de préparer la table, le plus jeune des deux voyageurs fit toutes sortes de remarques plaisantes, pleines d'esprit et de malice. Philémon ne pouvait s'empêcher de rire et il se sentit bientôt tout à fait à l'aise avec lui.

— Mon ami, lui demanda-t-il, quel est votre nom, je vous prie ?

— Vous avez remarqué que j'ai les mouvements vifs. Eh bien ! appelez-moi Vif-Argent : cela me convient excellemment.

— Vif-Argent ! répéta le vieillard. Voilà un nom bien bizarre, vraiment ! Est-ce que celui de votre compagnon est aussi étrange ?

— Ah ! Quant à cela, répondit Vif-Argent d'un ton mystérieux, demandez-le au tonnerre : lui seul a une voix assez forte pour prononcer le nom de mon ami.

Ces paroles surprenantes auraient effrayé Philémon s'il n'avait éprouvé la plus grande confiance chaque fois qu'il regardait le noble visage empreint de bonté du plus âgé de ses hôtes. Au lieu d'avoir peur de lui, il se sentait poussé à lui ouvrir son cœur.

C'est ce qu'il fit peu à peu au cours de la conversation. Il raconta qu'il ne s'était jamais éloigné de plus de vingt milles de cette chaumière où il habitait avec sa femme Baucis depuis bien des années, car ils s'étaient aimés et mariés tout jeunes. Oui, il y avait plus d'un demi-siècle qu'ils vivaient là, pauvres, mais contents, cultivant les légumes de leur jardin, battant leur beurre et récoltant leur miel. Philémon ajouta que cette longue vie commune n'avait fait qu'augmenter leur affection mutuelle, si bien qu'ils n'avaient qu'un désir : celui de mourir ensemble comme ils avaient vécu, afin de n'être pas séparés par la mort.

— Vous êtes un bon vieillard, dit l'étranger avec un sourire rayonnant, et votre femme est

une excellente compagne. Il est juste que vo
vœu s'accomplisse.

Au moment où il disait ces mots, Philémon pensa voir comme un regain de lumière au couchant. « C'est singulier, se dit-il, je croyais la nuit tout à fait venue. »

Mais Baucis parut sur le seuil pour les inviter à venir souper :

— Ah ! si j'avais su que vous veniez ! dit-elle. Presque tout mon lait a passé à faire des fromages, et il ne nous reste qu'un demi-pain. Vous allez avoir un bien piètre souper. D'habitude, notre pauvreté ne me pèse guère, mais, quand un voyageur vient frapper à ma porte, elle me donne du regret.

— Ne vous mettez pas en peine, ma chère femme, répondit le noble étranger. Votre bon accueil changerait en festin le plus simple repas.

— D'autant plus que je me sens un appétit dévorant, s'écria Vif-Argent. Mais que vois-je ? Des rayons de miel ! Du raisin doré ! Vous allez voir comme je vais faire honneur à votre merveilleux souper !

— Bonté divine ! murmura Baucis à l'oreille de son mari, s'il a pareille faim, mon pauvre repas va paraître bien court !

Et tous quatre entrèrent dans la chaumière.

Comme ils prenaient place autour de la table, on entendit un petit bruit : toc, toc, toc. C'était le bâton de Vif-Argent qui était resté dehors puyé au mur et qui s'en venait tout seul, sautillant sur les marches du perron, puis sur les carreaux de la cuisine. Il mena une petite danse dans la pièce, cherchant un endroit à sa convenance, et il finit par se planter d'un air important derrière la chaise de son maître.

Avouons-le, ce n'était pas un bien plantureux souper que celui de Baucis, surtout pour deux voyageurs affamés comme nos compagnons devaient l'être. On ne voyait sur la table, outre le miel et le raisin dont Vif-Argent avait fait l'éloge, qu'une cruche de terre à demi pleine de lait, un fromage et un assez mince morceau de pain bis. C'était là tout ce que Baucis avait pu réunir en vidant jusqu'au dernier placard de la maison.

Sachant qu'il n'y avait plus rien en réserve, elle fut tout inquiète de voir les deux étrangers vider d'un trait leur bol de lait, et toute confuse lorsque Vif-Argent lui dit :

— Bonne mère, ne voudriez-vous pas me verser encore un peu de lait ? Il a fait bien chaud aujourd'hui sur la route poudreuse et j'ai le gosier sec.

— Hélas ! répondit Baucis, je suis désolée, mais il n'y a plus une goutte de lait dans la cruche, ni, à vrai dire, dans toute la maison.

— Je crois que vous voyez les choses en noir, dit Vif-Argent, et je parie que cette cruche

nous fournira encore plus de lait que nous n
pourrons boire.

Ce disant, il prit la cruche par l'anse et se mit à remplir non seulement sa tasse, mais aussi celle de son compagnon. Baucis n'en croyait pas ses yeux : elle aurait juré qu'elle avait vidé entièrement la cruche quelques instants plus tôt. « C'est vrai que je me fais vieille, pensa-t-elle : ma vue ou ma mémoire se brouillent. »

— Je n'ai jamais bu de lait aussi délicieux ! s'écria Vif-Argent. Pardonnez-moi ma gourmandise, mais il faut que j'en reprenne un peu.

— Oh ! cette fois je suis sûre qu'il n'en reste plus, dit Baucis, saisissant la cruche et l'inclinant pour prouver qu'il en était bien ainsi.

Quelle ne fut pas sa surprise de voir une cascade de lait écumant tomber dans un des bols et le remplir au point qu'il déborda sur la table ! Aussitôt, les deux serpents enroulés autour du bâton de Vif-Argent d'allonger leur fine tête et de laper le liquide répandu.

Ils le firent si discrètement que Baucis ne le remarqua point ; mais cette soudaine abondance de lait suffisait à son étonnement, comme aussi le parfum exquis qu'il répandait : on aurait dit que la vache n'avait brouté ce jour-là que du thym et des herbes odoriférantes.

— Et maintenant, je serais bien content d'avoir une tartine de miel, dit Vif-Argent.

ɔaucis lui coupa une tranche de pain et fut ıcore toute surprise de voir que, de rassis qu'il avait été, il était redevenu tendre et frais. Pour en avoir le cœur net, elle goûta un petit morceau de mie et le trouva si savoureux qu'elle se demanda si c'était bien elle qui en avait pétri la pâte.

De même pour le miel : il avait la couleur de l'or pur et il embaumait de telle sorte que l'on se serait cru dans un jardin céleste. Est-ce que par hasard les abeilles auraient été butiner les fleurs du paradis ?

Baucis finit par se dire qu'il y avait là quelque chose de surnaturel. Quand elle eut servi les deux étrangers, elle alla s'asseoir auprès de Philémon et lui chuchota :

— Ne trouves-tu pas que nos hôtes sont des gens bien extraordinaires ?

— Oh ! c'est peut-être beaucoup dire, répondit Philémon qui avait oublié son premier étonnement. Sans doute ont-ils vu beaucoup de choses de par le monde et occupé jadis une meilleure position qu'à présent. En tout cas, ce sont de fort plaisants convives et je me réjouis de leur donner ce bon souper.

— Mais n'as-tu pas remarqué que le lait ne s'épuise point ? On dirait que la cruche se remplit toute seule.

— Ma chère femme, dit Philémon en souriant, nous ne sommes plus jeunes ni l'un ni l'autre, et les idées se brouillent un peu dans vieille tête. La cruche était plus pleine que t. ne pensais, voilà tout.

— Mais le miel ? dit Baucis. Il n'a jamais répandu pareil parfum. Et regarde à présent ces grappes de raisin ! Il faut qu'elles aient gonflé depuis que je les ai mises sur la table.

À ce moment Vif-Argent, qui était en train de manger une gigantesque grappe, s'écria :

— Quel succulent raisin ! je n'en ai jamais goûté de meilleur. D'où vient-il, je vous prie, mon brave homme ?

— De la treille qui pousse sur mon mur : vous en voyez une branche par la fenêtre. Mais nous n'avions jamais trouvé qu'il fût très beau ni très bon.

— Tout bonnement exquis ! Et, quant à la grosseur, j'ai toutes les peines du monde à venir à bout de cette grappe (on aurait dit en effet que les grains s'en renouvelaient sous ses doigts, car elle restait toujours aussi fournie). Encore une tasse de cet excellent lait, je vous prie, et j'aurai soupé comme un prince.

Le vieux Philémon s'empara de la cruche et, d'un rapide coup d'œil, constata qu'elle était vide. Comme il souriait en songeant aux illusions de Baucis, il aperçut soudain un petit jet blanc qui s'élançait au fond du vase de terre et qui, en quelques instants, l'eut rempli jusqu'au bord. C'est tout juste si, dans son étonnement,

ieillard ne laissa pas tomber la cruche mira-
uleuse.

— Qui êtes-vous, étrangers, pour opérer de tels prodiges ? s'écria-t-il.

— Vos hôtes et vos amis, mon cher Philémon, répondit d'une voix grave et douce le plus âgé des voyageurs. Verse-moi une tasse de lait, je te prie, et que désormais cette cruche ne soit jamais vide pour toi, pour ta généreuse femme et pour les passants qui viendront frapper à ta porte !

Il ne s'expliqua pas davantage.

Son visage était si noble et si imposant que Philémon n'osa pas le questionner plus avant. Toutefois, le souper terminé, et comme les deux voyageurs se levaient de table en demandant à aller se reposer, il prit Vif-Argent à part :

— Je ne voudrais pas être indiscret, lui dit-il, mais pourriez-vous me dire comment il se fait qu'une source de lait a jailli au fond de ma vieille cruche de terre ?

Vif-Argent désigna du doigt son bâton ailé et répondit en riant :

— C'est lui qui en est cause ; il ne cesse pas de me jouer des tours de cette espèce : tantôt il me fournit un souper, tantôt il m'en escamote un. Je n'y comprends rien et même je vous serais très obligé si vous parveniez à m'expliquer ce mystère.

Là-dessus les deux voyageurs se retirèrent pour la nuit. Baucis et Philémon leur cédèrent leur lit sans dire qu'il n'y en avait pas d'autre, se contentant, quant à eux, d'étendre leurs vieux os sur le plancher.

Les vieillards se levèrent à l'aube ainsi que les étrangers. Comme ils se disposaient à partir, Philémon leur dit :

— Pourquoi ne restez-vous pas un jour de plus ? vous achèveriez de vous reposer. Baucis ira traire la vache, mettra un gâteau au four et nous dénichera bien quelques œufs pour déjeuner.

Mais les voyageurs déclarèrent qu'ils voulaient parcourir la plus grande partie du chemin avant que la chaleur devînt trop oppressante : ils préféraient partir sur-le-champ.

— Dans ce cas, nous vous accompagnerons pendant quelques instants pour vous mettre sur la bonne route, dit Philémon, sans quoi vous pourriez vous tromper.

Ils sortirent tous quatre de la chaumière en bavardant comme de vieux amis. Vif-Argent était si pénétrant qu'il lisait dans la pensée des deux vieillards avant même qu'ils eussent ouvert la bouche ; quel plaisir d'être si vite compris ! Mais ils avaient plus de joie encore à s'entretenir avec son compagnon, dont la sagesse et la bonté gagnaient de plus en plus leur cœur.

— Quel bonheur c'est que de donner l'hospitalité ! s'écria soudain Baucis. Si seulement nos voisins du village s'en doutaient, ils ne vous auraient certainement pas reçus comme ils l'ont fait.

— C'est une honte de se conduire ainsi ! renchérit Philémon. Encourager les chiens à pourchasser les étrangers et les enfants à leur jeter des pierres ! J'irai aujourd'hui même leur dire ce que j'en pense.

— J'ai bien peur que vous ne trouviez personne au logis, répondit Vif-Argent d'un air assez mystérieux.

Ici le front du plus âgé des voyageurs parut se rembrunir ; son regard se fit sévère ; son air de majesté devint presque terrible, et les deux vieillards levèrent les yeux sur lui avec un respect craintif.

— Lorsque les hommes ont perdu toute charité à l'égard de leurs semblables, dit-il d'une voix qui résonnait comme un orgue, ils ne sont plus dignes d'habiter sur la terre qui a été créée pour toute la race humaine.

— Mais ce village dont vous parliez, dit Vif-Argent d'un ton moqueur, où est-il donc ? Je ne le vois plus.

Philémon et Baucis tournèrent leurs regards vers la vallée, là même où, la veille, au soleil couchant, ils avaient vu du banc de leur maison des prairies, des bosquets, des jardins et les rues

animées d'un village. Quelle ne fut pas
surprise ! À la place de tout cela, la napp
calme et bleue d'un lac emplissait le fond du
vallon. Les collines se miraient dans ses eaux tranquilles, polies comme une glace, aussi naturellement que s'il avait été là depuis le commencement du monde.

Tout d'abord les deux vieillards crurent rêver : le spectacle était si paisible qu'il ne leur inspirait aucune horreur. Mais soudain ils comprirent que le village était là sous ces eaux !

— Hélas ! s'écrièrent-ils d'une seule voix, que sont devenus nos malheureux voisins ?

— Ils n'existent plus sous la forme qu'ils avaient naguère, dit le noble voyageur, et un roulement de tonnerre accompagna ses paroles. Ils n'avaient plus dans leur cœur aucun sentiment humain : c'est pourquoi le lac a rempli son ancien domaine et reflète à présent le ciel.

— Ces méchants fous ont tous été changés en poissons, dit Vif-Argent en riant. Ce n'est pas seulement leur cœur qui est couvert de dures écailles à présent. Ainsi donc, Baucis, quand l'envie vous prendra de manger une bonne truite, vous n'aurez qu'à demander à Philémon de jeter sa ligne : il aura tôt fait de vous rapporter une demi-douzaine de vos voisins.

— Oh ! non, s'écria Baucis en frissonnant, pour rien au monde je ne voudrais en mettre un sur le gril !

— Excellent Philémon, non moins excellente Baucis, reprit alors le majestueux étranger, apprenez que des dieux se sont assis à votre table, profitant de votre cordiale et généreuse hospitalité[1]. C'est alors que votre lait s'est changé en nectar, votre pain et votre miel en ambroisie, mets que nous avons coutume de manger sur l'Olympe. Nous voulons à présent vous récompenser de votre bonté et vous accorder tout ce que votre cœur pourra désirer.

Après un silence, pendant lequel Baucis et Philémon se consultèrent du regard, ils répondirent :

— Nous nous sommes toujours aimés : nous ne souhaitons que de continuer à vivre ensemble et de mourir au même instant.

— Qu'il en soit ainsi ! dit l'étranger. Maintenant, regardez votre chaumière.

Quelle surprise ! À la place de leur pauvre demeure s'élevait un beau palais de marbre blanc !

— C'est là que vous habiterez désormais, reprit l'étranger avec bonté. Continuez à donner l'hospitalité à ceux qui passent et soyez heureux.

1. Les deux mystérieux étrangers ne sont autres qu'Hermès (voir Entracte, p. III) et Zeus (Jupiter), le roi des dieux.

Les deux vieillards tombèrent à genoux. M
lorsqu'ils ouvrirent les yeux pour exprimer le
reconnaissance, les divins voyageurs avaien
disparu.

À dater de ce jour Philémon et Baucis habitèrent ce beau palais de marbre, que leur bienfaiteur avait eu soin de ne pas faire trop immense, ni trop richement décoré, afin qu'ils s'y sentissent tout de suite à l'aise. Leur plus grande joie était d'accueillir les voyageurs égarés ou pressés par la faim, et leur premier soin, de leur servir un bol de lait à l'aide de la cruche miraculeuse. Car celle-ci avait gardé son étrange pouvoir. Lorsque c'était un homme au cœur honnête qui buvait, il déclarait n'avoir jamais goûté plus délicieux breuvage ; mais si c'était un égoïste, ou un avare, ou un être cruel, il faisait une horrible grimace en protestant que le lait était tourné.

Philémon et Baucis atteignirent l'âge de cent ans et plus encore. Un matin d'été cependant, les hôtes qu'ils avaient accueillis la veille au soir et qui ne voulaient pas partir sans les avoir remerciés, ne les virent plus dans la maison. Ils les cherchèrent de la cave au grenier, puis dans le jardin et dans les prairies avoisinantes. En vain. Tout à coup ils remarquèrent auprès de la maison deux arbres que personne ne se souvenait d'avoir vus la veille. C'étaient un tilleul chêne aux branches étroitement entrelacées qui paraissaient centenaires.

Chacun se demandait comment ces arbres à la puissante ramure avaient pu croître en une seule nuit, lorsqu'une brise légère s'éleva. Elle agita les feuilles du vieux chêne qui se mirent à bruire et à murmurer :

— Je suis Philémon.

Puis le tilleul s'anima à son tour sous la caresse du vent et chanta doucement :

— Je suis Baucis.

Bientôt les deux noms se mêlèrent comme s'ils ne faisaient qu'un.

Dorénavant les deux arbres continuèrent à unir leurs feuillages, leurs ombres et leurs murmures. Chaque fois qu'un passant venait à se reposer sous leurs branches, celles-ci s'agitaient au-dessus de lui, et leur bruissement profond semblait dire :

— Sois le bienvenu, ô cher étranger, sois le bienvenu en ces lieux.

Et bien des années après, une main généreuse éleva autour de leurs troncs rapprochés un banc circulaire où venait s'asseoir le voyageur fatigué.

VI

LA CHIMÈRE

Vous savez que la Grèce est le pays des merveilles. Eh bien ! d'une de ses collines jaillissait jadis une fontaine toujours vive. On m'a dit que ses eaux fraîches coulent aujourd'hui encore au même endroit. En tout cas, en ce temps-là, elle miroitait de mille paillettes dorées sous le soleil couchant lorsqu'il arriva près de ses bords un beau jeune homme nommé Bellérophon [1].

Il tenait à la main une bride incrustée de pierres précieuses et garnie d'un mors non moins magnifique, car il était fait de l'or le plus pur.

1. Bellérophon est fils de Poséidon, dieu de la mer, et d'Eurynomé, épouse du roi de Corinthe Glaucos, qui est considéré comme son père « humain ».

ıontaine n'était pas déserte. Un vieillard, ꞩ sur la berge, se reposait. Une jeune fille, ꞓcompagnée d'un enfant, puisait de l'eau avec sa cruche. Un homme entre deux âges avait amené là sa vache pour l'abreuver.

Bellérophon pria la jeune fille de lui tendre sa cruche. Puis il but à longs traits.

— Voilà une eau délicieuse ! s'écria-t-il. Je n'en ai jamais bu de plus fraîche. Auriez-vous la bonté de me dire le nom de cette fontaine ?

— C'est la Fontaine de Pirène, répondit la jeune fille. Et son histoire est bien triste. Car, si j'en crois ma grand-mère, elle a été jadis, avant d'être fontaine, une femme. Oh ! cela s'est passé dans la nuit des temps. Son fils fut tué à coups de flèches par Diane la Chasseresse, et elle en eut tant de peine que tout son corps se fondit en une source de larmes.

— Je n'aurais jamais cru, dit le jeune homme, qu'une source si fraîche et qui murmure si gaiement pût être nourrie de larmes. Mais je suis très content d'apprendre que c'est la Fontaine de Pirène, car j'ai fait bien du chemin pour la trouver.

L'homme entre deux âges regarda Bellérophon avec étonnement :

— Il faut que les ruisseaux soient bien bas dans votre pays, dit-il, si vous vous êtes donné tant de mal pour trouver la Fontaine de Pirène. Mais... auriez-vous perdu un cheval ? S'il était

aussi beau que la bride que vous tenez à la
vous devez être fort en peine.

— Je n'ai pas perdu de cheval, répondit jeune homme, j'en cherche un. Il fréquentait autrefois la Fontaine de Pirène. Pour ne rien vous cacher, c'est Pégase, le cheval ailé.

— Pégase ! s'écria le villageois en éclatant de rire. Eh bien ! mon jeune ami, vous avez du temps à perdre. Le cheval blanc comme neige qui volait dans les airs de ses ailes d'argent, n'est-ce pas ? Croyez-vous donc encore aux contes de nourrice ? Allons, allons, Pégase n'a jamais existé.

— J'ai mes raisons pour croire le contraire, répliqua Bellérophon avec calme.

Puis, se tournant vers le vieillard qui écoutait, le visage incliné et la main en cornet derrière l'oreille :

— Qu'en pensez-vous, mon vénérable père ? N'avez-vous pas vu le cheval ailé dans votre jeunesse ?

— Ah ! dit le vieillard en redressant sa tête blanche, il y a bien longtemps de cela, et ma mémoire baisse de jour en jour. L'ai-je vu ou ai-je seulement rêvé de le voir, je ne sais plus... Tout cela est si loin...

Il songea quelque temps, puis reprit :

— Je me souviens pourtant — j'étais bien jeune alors — d'avoir remarqué des traces de sabots de cheval près de la Fontaine. Je croyais que c'étaient les traces de Pégase, mais ...ais plein d'illusions. Ce pouvait tout aussi ...en être celles d'un autre cheval. On disait qu'il n'avait jamais connu le frein et qu'il dormait la nuit sur le mont Hélicon — vous en apercevez d'ici la cime entre les arbres — car il volait plus haut et plus vite que l'aigle avec ses ailes d'argent.

— Ce devait être bien incommode pour labourer, dit l'homme entre deux âges en riant grossièrement.

Et, comme sa vache avait fini de boire, il s'en alla.

— Et vous, belle jeune fille, demanda Bellérophon, vos yeux brillants n'ont-ils jamais vu le cheval ailé ?

— Il m'a bien semblé l'apercevoir une fois, répondit-elle toute rougissante, en déposant sa cruche à terre. C'était ou bien Pégase ou bien un énorme oiseau blanc qui volait à une grande hauteur, mais je ne puis rien affirmer, car j'étais éblouie par le soleil. Une autre fois, en venant puiser de l'eau à la fontaine, j'ai entendu un hennissement. Ah ! si vif, si mélodieux ! Mon cœur a bondi dans ma poitrine. J'ai eu peur, pourtant, et j'ai couru à la maison sans avoir empli ma cruche. Mais je m'en souviens encore avec ravissement.

Bellérophon se tourna vers l'enfant :

— Et toi, mon petit camarade, lui dit caressant ses cheveux bouclés, tu n'as aperçu Pégase, par hasard ?

— Mais si, répondit l'enfant avec simplicité. Je l'ai vu bien des fois. Tenez, hier encore.

— Oh ! raconte-moi cela, s'écria Bellérophon.

— Eh bien ! il y a de très jolis cailloux dans cette fontaine, des cailloux de toutes les couleurs, et je viens souvent en chercher. Quand je me penche sur l'eau, je vois dedans les nuages, tout le ciel ; et quelquefois, je vois aussi le cheval ailé. Oh ! comme je voudrais monter avec lui dans la lune ! Mais dès que je relève la tête, il a disparu.

Bellérophon ne douta pas que l'enfant eût dit vrai. Il s'installa dans le pays afin de revenir chaque jour à la fontaine. La bride au frein d'or dans la main, il fouillait tantôt le ciel, tantôt l'eau du bassin, dans l'espoir d'apercevoir Pégase ou son image.

Les gens qui menaient leur bétail à la fontaine se moquaient de lui et lui laissaient entendre qu'un gaillard de sa force ferait mieux de travailler que d'attendre un cheval ailé. Les gamins jouaient à Bellérophon et Pégase : l'un faisait le cheval avec toutes sortes de cabrioles en agitant les bras comme pour s'envoler, et un autre lui courait après avec une corde de jonc qui figurait la bride aux pierres précieuses.

…érophon ne prêtait guère attention à ces …eries, mais parfois il s'ennuyait ferme. Heu…usement, le petit garçon qui disait avoir vu Pégase en cherchant des cailloux venait lui tenir compagnie pendant ses heures de récréation. Ils étaient devenus très bons amis, et Bellérophon, qui avait eu confiance en lui dès le premier moment, lui raconta pourquoi il voulait à toute force s'emparer du cheval ailé.

— Figure-toi, lui dit-il, qu'il y a en ce moment en Lycie (c'est une province d'Asie d'où je viens)[1] un monstre épouvantable qui ravage le pays. On l'appelle la Chimère. Je ne l'ai jamais vue, mais j'ai interrogé des gens qui l'ont aperçue de loin, et voici ce qu'ils m'ont dit. La Chimère a un grand corps écailleux qui finit en queue de serpent, et sur ce corps se dressent trois têtes : une tête de lion, une tête de bouc et une tête de serpent, la plus horrible des trois. Les trois gueules lancent des tourbillons de feu et de fumée.

— Oh ! dit l'enfant. Est-ce qu'elle a des ailes ?

— Je n'ai jamais pu en avoir le cœur net. Les uns disent oui, les autres disent non. Peut-être ne les déploie-t-elle que rarement.

1. C'est le roi de Lycie Iobatès qui a donné l'ordre à Bellérophon de tuer la Chimère.

— Et des cornes ?

— Sur sa tête de bouc, sans doute. Pas s les autres. En tout cas, la Chimère n'a qu'à souffler sur une forêt, sur un champ de blé, sur un village, et tout est réduit en cendres. Avec cela, elle dévore vivants les habitants, les animaux. Si l'on ne vient pas à bout du monstre, le pays ne sera bientôt plus qu'un désert. J'ai décidé de tuer la Chimère ou de mourir.

— Mais tu seras brûlé tout de suite !

— Pas si je chevauche Pégase. Son vol est si rapide que la Chimère ne pourra pas l'atteindre. Et j'en profiterai pour la taillader de toutes parts à grands coups d'épée. Tu sais maintenant pourquoi je guette si impatiemment le cheval ailé.

— Je suis étonné qu'il ne revienne pas, dit l'enfant. Avant ton arrivée, je le voyais très souvent... surtout les jours comme celui-ci, avec cette légère brume de beau temps. Mais...

Saisissant la main de son grand compagnon, il lui dit vivement à voix basse :

— Vite ! Vite ! Regarde dans l'eau. Là.

Bellérophon regarda dans la fontaine et aperçut sur l'eau comme le reflet d'un oiseau argenté.

— Ce doit être un cygne, dit-il. Un très grand cygne, car il vole au-dessus des nuages.

— C'est Pégase ! dit l'enfant dans un souffle. Mais ne regarde pas le ciel.

…rop tard ! Bellérophon avait levé les yeux …, au même instant, le cheval ailé s’était enfoncé …ans un grand nuage blanc.

Le jeune homme saisit l’enfant par la main et l’entraîna dans les broussailles qui croissaient autour de la fontaine.

— Comme cela, lui dit-il, le cheval ne pourra pas nous voir. À cette heure, la fontaine est déserte. Si, comme on le dit, il aime à s’y abreuver, peut-être descendra-t-il près de nous.

Et il serra dans sa main la bride au frein d’or.

Mais, à l’autre bout du nuage, voici reparaître à nouveau l’oiseau blanc. L’oiseau ? Non, le cheval ! Cette fois, Bellérophon n’en pouvait plus douter, c’était bien un cheval, un cheval blanc comme neige, aux grandes ailes d’argent, qui volait à une hauteur prodigieuse, tout éblouissant de soleil !

Il se mit à décrire de grands cercles, comme font les colombes avant de s’abattre sur le sol. Et chacun de ces cercles, en effet, le rapprochait de terre. D’instant en instant, il devenait plus beau, plus lumineux. Mais il était tout près…, il frôlait la cime des arbres…

Il était là !

Se posant sans bruit sur l’herbe, il descendit sur le sable de la fontaine avec une telle légèreté qu’à peine ses sabots y laissaient-ils leur trace. Allongeant sa belle tête blanche, il se mit à boire en poussant, entre deux gorgées, de doux hennissements étouffés qui marquaient son contentement. Puis, sa soif satisfaite, il brouta délicatement quelques fleurs de trèfle.

Sans doute n'avait-il pas très faim, car il se mit bientôt à gambader dans la prairie. Il était aussi gracieux sur terre que dans les airs. Bondissait-il ? Volait-il ? On ne pouvait le dire. Bellérophon et l'enfant le regardaient, le souffle coupé d'admiration.

« Ne serait-ce pas un crime que de lui mettre un mors ? » pensaient-ils.

Mais Pégase lui-même pouvait-il connaître la fatigue ? En tout cas, voici qu'il replie ses jambes fines et nerveuses. Non, c'est un jeu plutôt qu'un repos, car déjà il se relève, prêt à reprendre son vol.

S'élançant du buisson, Bellérophon a sauté sur sa croupe.

Ah ! quel bond fit Pégase quand il sentit pour la première fois un cavalier presser ses flancs. Avant même d'avoir pu respirer, le héros se trouve à cinq cents pieds en l'air, montant, montant toujours parmi les hennissements de colère de sa monture. Ils plongent au milieu d'un nuage épais et Bellérophon ne voit plus que fumée. Quand ils en sortent, le cheval ailé se précipite vers une montagne avec la rapidité de a foudre, comme s'il voulait s'écraser sur les rochers avec son cavalier.

Il n'épargnait rien pour se débarrasser de lui. Tantôt il lançait brusquement des ruades terribles, tantôt il se renversait en se cabrant, de telle sorte que Bellérophon avait la tête en bas et voyait la terre là où d'habitude se trouve le ciel. Parfois encore le cheval jetait brusquement la tête en arrière pour tenter de mordre son nouveau maître. Et il agitait ses ailes avec tant de violence qu'une plume d'argent s'en détacha et vint tomber aux pieds du petit garçon, qui la ramassa et la garda précieusement toute sa vie.

Mais tous les efforts de Pégase restèrent vains. Bellérophon était le meilleur cavalier qui fût jamais. Non seulement il ne tomba pas dans l'espace, mais, comme le cheval essayait à nouveau de le mordre, il réussit à introduire le frein d'or dans sa bouche. Aussitôt, Pégase s'apaisa comme par enchantement : il était dompté.

Dès lors, il ne regarda plus son maître avec fureur, mais seulement avec des yeux voilés de larmes. Bellérophon chercha à le consoler en lui caressant le front et en lui parlant avec fermeté et douceur. Il lui sembla que le bel animal ne restait pas insensible à sa bonté.

Ils volaient au-dessus du mont Hélicon. Après un coup d'œil plein d'obéissance, comme pour en demander la permission, Pégase se posa dou-

cement sur la cime, et attendit patiemment q
Bellérophon voulût bien mettre pied à terre
Le jeune homme descendit vivement. Puis, regardant le cheval, il lui enleva le frein d'or et lui dit :

— Va-t'en si tu le veux, Pégase. Tu es libre. Ou bien reste pour l'amour de moi.

Aussitôt le cheval ouvrit ses ailes et s'élança dans les airs. Bellérophon l'eut bientôt perdu de vue. Il attendit, anxieux, fouillant du regard tous les coins du ciel. Hélas ! le soir tombait et Pégase demeurait invisible. Le héros se désolait, pensant l'avoir perdu pour toujours.

Tout à coup, dans le ciel assombri, il vit comme une étoile filante. C'était Pégase qui était monté à une hauteur si prodigieuse qu'il était encore éclairé par le soleil alors que la nuit enveloppait déjà la terre. Puis le point lumineux disparut. Bellérophon attendit encore, et bientôt le cheval se posa près de lui. Il était donc revenu !

Homme et cheval dormirent cette nuit-là côte à côte, le bras de Bellérophon passé autour du cou de Pégase. Et à l'aurore ils se souhaitèrent affectueusement le bonjour, chacun en son langage.

— Ma vive hirondelle, dit le héros, c'est aujourd'hui que nous attaquerons la terrible Chimère.

Le cheval hennit joyeusement et tendit la tête pour recevoir la bride. Puis tous deux s'élancèrent dans l'espace.

En quelques instants, ils eurent rejoint le lieu où Bellérophon avait laissé son bouclier et son glaive.

Quand le jeune homme eut repris ses armes, il sauta à nouveau sur sa monture et monta avec elle à une hauteur de huit lieues afin de voir plus clairement quelle route il devait prendre. Puis, tournant la tête de Pégase du côté de l'orient, il piqua droit sur l'Asie.

Le cavalier profita du voyage pour exercer sa monture. Il s'assura qu'elle obéissait à la moindre pression de sa main sur la bride, à la plus légère inflexion de sa voix. Et quand ils arrivèrent au-dessus de la Lycie, l'homme et le cheval se comprenaient vraiment à merveille.

Bellérophon reconnut la farouche montagne qu'on lui avait montrée de loin avec terreur en lui disant que là, dans une profonde caverne, habitait la Chimère. Et comme il volait vers elle, il ne vit plus au-dessous de lui que champs dévastés, forêts en cendres, villages en ruine.

— Vois, dit-il à Pégase. Tout cela est l'œuvre de la Chimère. Il n'est que temps d'en débarrasser ce pauvre pays.

L'intelligent animal tourna la tête vers lui avec un hennissement guerrier pour montrer qu'il était prêt à combattre.

Après avoir longtemps volé au-dessus des p
et des précipices, ils aperçurent soudain tro
colonnes de fumée noire qui s'élevaient lentement dans les airs.

— Là, Pégase ! s'écria Bellérophon.

Ils piquèrent sur l'endroit d'où montait la fumée. Elle semblait sortir d'une vaste caverne située au fond d'un ravin. Mais l'observation devenait difficile, car ils éternuaient et toussaient tous les deux à qui mieux mieux, pris à la gorge par une odeur de soufre.

Ils continuèrent cependant à descendre en faisant un circuit pour se tenir en dehors du vent et parvinrent ainsi sans être asphyxiés tout près de la caverne.

Trois têtes gigantesques en émergeaient, deux d'entre elles couchées à terre, la troisième brandie dans les airs où elle ondulait. Les têtes couchées et endormies étaient celles d'un lion à l'énorme crinière et d'un bouc repoussant aux cornes recourbées. La tête brandie, celle d'un formidable serpent aux yeux luisants de ruse méchante. Et de la gueule du serpent comme des narines du lion et du bouc, s'échappait un triple jet de noire fumée où rougeoyaient par instants des flammes !

Dès que le serpent eut aperçu Pégase, il poussa un sifflement strident. Le lion et le bouc s'éveillèrent, et les trois têtes vomirent des torrents enflammés dans la direction de leur nemi. Elles s'avancèrent hors de la caverne sur les rocs noirs du ravin, et Bellérophon put voir qu'elles n'appartenaient pas à trois animaux différents, mais bien au même monstre. Il avait devant lui la Chimère !

Elle détendit son immense corps écailleux dans un bond énorme, et cheval et cavalier eussent été écrasés sur-le-champ si, d'un rapide élan, Pégase ne s'était envolé dans le ciel. Là, Bellérophon affermit son bouclier et tira son glaive.

— Pégase, cher Pégase, dit-il au noble cheval dont les flancs frémissaient d'horreur. Courage, et droit au monstre !

Ils fondirent dans la fumée et rasèrent le monstre à une vitesse incroyable, non sans que Bellérophon lui assenât au passage un coup violent. À peine s'ils échappèrent à la queue de la Chimère que terminait un terrible dard : ils en sentirent le vent. Mais ils étaient déjà aussi haut que les nuages et Bellérophon, se penchant, vit qu'il avait tranché la tête de bouc.

Rugissements et sifflements montaient jusqu'à eux.

— Faisons-la taire, mon brave Pégase ! cria le héros.

Le cheval partit comme un trait.

Cette fois, c'est la tête de lion que l'épée de Bellérophon entame profondément : elle ne tient plus au cou que par un lambeau de chair.

Cependant l'épaule du héros saigne, atteinte pa une griffe de la Chimère, et l'aile gauche de Pégase a perdu nombre de ses plumes d'argent.

— Sus, sus ! crie Bellérophon.

Et pour la troisième fois ils s'élancent sur le monstre. Mais celui-ci a vu venir l'attaque. Bondissant au-devant de ses ennemis, il enroule autour de Pégase ses anneaux visqueux. Le cheval hennit de douleur, mais reprend son essor, emmenant dans les nues l'horrible Chimère qui tourne sa gueule de serpent vers Bellérophon.

Celui-ci ne doit qu'à son bouclier de n'être pas brûlé vif. Il ne peut plus guère se défendre car les terribles griffes l'assaillent à droite et à gauche. Va-t-il succomber ? Non, il se raidit dans un dernier effort et profite de ce que la Chimère a découvert sa poitrine pour lui enfoncer son glaive dans le cœur.

Le monstre desserre son étreinte et tombe dans le vide. Le vent de sa chute attise les flammes contenues dans son sein. C'est une torche ardente qui tombe sur le sol.

— Pégase, Pégase, es-tu blessé ? demande Bellérophon.

Le cheval hennit joyeusement : il n'a que de légères meurtrissures. Quant à son cavalier, c'est à peine s'il sent sa blessure à l'épaule dans l'ivresse de sa victoire. Il se penche sur le cou de Pégase et l'embrasse avec des larmes de joie.

Ils descendirent à l'endroit où était tombée la Chimère. Le grand cadavre achevait de se consumer dans un champ. Il couvrait plusieurs arpents de terrain et les os déjà blanchis formaient un tas plus élevé qu'une meule de foin.

Bellérophon alla annoncer l'heureuse nouvelle au roi du pays. Je vous laisse à penser combien on lui fit fête. Mais il se déroba à tous les honneurs, et, toujours monté sur Pégase qui ne voulait point le quitter, il s'en revint à la Fontaine de Pirène pour retrouver son petit ami.

— C'est grâce à toi, dit-il à l'enfant, que j'ai attendu Pégase au bord de la Fontaine. C'est donc aussi grâce à toi que j'ai abattu la Chimère. Viens, tu es digne de monter le cheval ailé !

Et, enlevant l'enfant ravi, ils partirent tous trois pour le plus merveilleux voyage qui fût jamais[1].

1. Plus tard, Bellérophon fut victime de son orgueil : il voulut monter avec son cheval ailé jusqu'au séjour des dieux ; mais Zeus envoya un taon qui piqua Pégase et provoqua la chute mortelle du héros.

TABLE DES MATIÈRES

Photocomposition :
TÉLÉ-COMPO - 61290 BIZOU

Achevé d'imprimer
par Maury-Eurolivres S.A.
45300 Manchecourt

Dépôt légal : mars 1996.

POCKET - 12 avenue d'Italie - 75627 PARIS Cedex 13